CHANTS DE LA RÉVOLUTION FRANÇAISE

Les chants de ce recueil signalés par la marque ●● sont interprétés dans une cassette de 60 mn.

Ensemble JACQUES MODERNE. Direction JEAN-PIERRE OUVRARD.

Ténor : H. Lamy ; baryton : F. Bazola-Minori ; basse : M. Busnel ; clavecin : D. Ferran ; piano : V. Lausiaux.
Directeur artistique : E. Meloche.
Prise de son : J.-P. Delarbre.
Montage : M. Blanvilain.

Ensemble Jacques Moderne de Tours, 33, rue du Docteur-Lebled ;
Rochecorbon, F 37210 Vouvray.

Collection dirigée par Michel Simonin

Chants
de la Révolution française

Choix établi par
François Moureau et Élisabeth Wahl

LE LIVRE DE POCHE

Préface

Les productions littéraires de la Révolution n'ont pas bonne presse. Si l'on peut nommer David en peinture, quel romancier ou poète citera-t-on, sauf Sade ou André Chénier qui, surtout pour le second, ne représentent pas exactement l'esprit de la Révolution jacobine ? Et pourtant, avec la suppression des privilèges, le nombre des théâtres parisiens se multiplia, le rejet du répertoire d'Ancien Régime amena une création originale et tumultueuse ; on ne cessa d'écrire des romans et des poèmes. Il semble néanmoins, vu de notre siècle, qu'il faille attendre Chateaubriand pour retrouver le chemin de la littérature.

Cela vient de ce que l'on pense que l'action et l'écriture ne font pas bon ménage. Illusion ! car quels écrivains que Camille Desmoulins, Danton, Robespierre, Saint-Just ou Mirabeau ! L'éloquence et le pamphlet, à défaut d'autre chose, ont marqué ces années nourries de modèles littéraires et de souvenirs romains, fruits des bonnes écoles de l'Ancien Régime. Et puis d'aucuns suggèrent que l'on ne peut juger d'un

« art révolutionnaire » — ambiguïté de l'expression — avec les canons de l'*Art poétique* de Boileau. A part l'efficacité révolutionnaire, tout le reste ne serait que littérature.

Les chants de la Révolution française permettent de mesurer, dans un genre mineur, certes, l'émergence d'une autre littérature dont les modèles formels se moulent sur ceux de l'Ancien Régime, mais dont le contenu, très évolutif selon les périodes, recherche une coïncidence immédiate avec son public et avec les sentiments qui l'animent. Au principe de *durée* (imitation d'une nature éternelle par des formes fixes) s'oppose la *spontanéité* de la création ; instantanéisme qui fonde une nouvelle fonction littéraire : l'utilitarisme.

« Ajouter nos chansons à nos canons », voilà le programme révolutionnaire que fixe la *Chronique de Paris* en octobre 1792. La Convention envoie par milliers aux armées certains airs dont on attend merveille sur le moral des soldats sans-culottes. Dans un rapport de janvier 1794 (nivôse an II) à l'Assemblée, Dubouchet s'exclame : « J'ai été témoin de l'effet prodigieux qu'elles [les chansons] produisent lors de ma mission dans les départements. » Le Comité d'Instruction publique de la Convention décide alors qu'une des tâches prioritaires sera la diffusion de la bonne chanson révolutionnaire par la création d'un *Magasin de musique* destiné à imprimer et à répandre les vérités de l'heure.

La chanson révolutionnaire reprend une pédagogie bien connue de l'Ancien Régime où l'on usait souvent dans les petites écoles d'exercices mnémotechniques pour enseigner l'histoire, la géographie ou la grammaire. Sous forme de litanies versifiées simples, dont il reste aujourd'hui un vestige dans la table de multiplication psalmodiée, les enfants se chargeaient de ce qui serait le plus clair de leur bagage scolaire. Civilisation du par-cœur, plus que de l'écrit, de l'oralité plus que de l'imprimé, la société civile fonctionnait ainsi dans ses plus larges masses. Le livre, même colporté par la « Bibliothèque bleue » dans les campagnes, ne touchait qu'une frange de la population. « Le peuple chante encore beaucoup plus qu'il ne lit », écrit à l'automne 1793 (brumaire an II), le chansonnier patriote T. Rousseau, plus perspicace en ce sens que Danton, qui condamnait l'art chansonnier au nom du progressisme culturel.

Développé sur un vieux fonds de chansons, le chant révolutionnaire fut tout de suite utilisé par les diverses factions et, dès 1792, par le pouvoir politique central comme instrument de pédagogie révolutionnaire... ou contre-révolutionnaire. Car il est difficile d'écarter de la « chanson révolutionnaire » des productions qui s'opposent ou divergent de la vulgate politique dominante à une époque donnée. Révolutionnaire en 1792, *La Marseillaise* devient « terroriste », le « chant des égorgeurs » de Septembre, au moment de la réaction thermidorienne : on la remplace par *Le Réveil du peuple*, couplets à la gloire de la nouvelle Révolution « recentrée ». Des chansons subissent des refontes selon les soubresauts de la politique : le meilleur exemple serait sans doute La Fayette porté aux nues puis « censuré » dans deux versions successives du *Ah ! ça ira !* ; quant à Louis XVI, on suit de 1789 à 1794 sa transformation progressive de père du Peuple en tyran sanguinaire. Si certains chansonniers royalistes se manifestent en France — comme F. Marchant, A. Pitou — ou dans l'émigration, d'autres écrivains de chansons ont seulement le tort d'être girondins —

Jean-Marie Girey-Dupré — quand la Montagne est au pouvoir, ou taxés de « terrorisme » après Thermidor. D'autres comme Déduit évoluent selon les circonstances... Le sentiment consensuel des années 1789-1790 a tôt fait de voler en éclats. On ne doit pas exclure des chants de la Révolution française les enfants perdus ou les mauvais élèves de cette gigantesque école de la politique que furent les années 1789-1799.

**

C. Pierre a estimé à 3 000 environ les chansons produites par la Révolution française, plus 177 « hymnes » destinés aux fêtes patriotiques. Soit en gros une chanson par jour entre 1789 et 1800, mais avec une évolution statistique très contrastée : progression moyenne de 1789 à 1792 — de 116 à 325 chansons —, brusque accélération en 1793-1794 — 590 et 701 chansons —, chute brutale en 1795, et ensuite, malgré une reprise en 1795, déclin continu — de 137 chansons en 1795 à 25 en 1800. L'évolution est, on s'en doute, étroitement liée à la conjoncture politique : montée en puissance de la Révolution, propagande chansonnière d'État sous la Convention, méfiance ensuite et contrôle accru jusqu'au 18 brumaire. Parallèlement, on peut signaler les décisions administratives qui rythment ce parcours : janvier 1794 (nivôse an II), création du *Magasin de musique* par la Convention ; 13 mars 1794 (23 ventôse an II), la Municipalité parisienne laisse le champ libre aux chanteurs des rues et autres vendeurs de chansons ; *La Marseillaise* est décrétée chant national le 26 messidor an III (14 juillet 1795) ; le 18 nivôse an IV (8 janvier 1796), le Directoire exige l'exécution du *Ah ! ça ira !* à l'ouverture de chaque représentation théâtrale ; 4 septembre 1800, mesures de police pour faire obstacle à la diffusion de la chanson politique... On passe d'une production relativement libre — bien que l'or de Pitt ou des Orléans coule déjà — à une chanson d'État sous la Convention, avec son image inversée, la chanson contre-révolutionnaire ; puis ce torrent orienté et subventionné par dizaines de milliers d'exemplaires devient une source plus modeste où l'*imitation* prime sur l'invention et la *digestion* thermidorienne l'emporte sur la création : chansons-pastiches des grands sentiments montagnards adaptés à l'heure présente et recueils rassemblant les couplets des années précédentes qui inaugurent une nouvelle fonction, commémorative, historique et testimoniale de l'art chansonnier.

En apparence, rien de moins spontané que cette machine qui met en branle des chansonniers professionnels, des éditeurs spécialisés (Frère, à Paris), les comités de la Convention, les états-majors militaires et les Clubs. Des journaux de tous bords — des *Actes des Apôtres* royalistes à *La Légende dorée* révolutionnaire — publient des chansons d'actualité qu'ils suscitent le plus souvent. De ce point de vue, le paysage politique change considérablement par rapport à l'Ancien Régime où la chanson satirique fleurissait aussi, mais secrète et diffusée sous forme manuscrite (témoins les énormes volumes des *Chansonniers Maurepas* ou *Clairambault*, chroniques chansonnières, parfois brutales, du dernier siècle de la monarchie) ; les « nouvellistes musicaux » savaient mettre en vers sur des airs connus les menues circonstances de la vie sociale ou politique ; des sociétés badines, chantantes et bachiques les interprétaient dans la discrétion des cabarets ou des salons aristocratiques ; le peuple avait ses airs qu'il entendait au Pont-Neuf ; mais les « calottes » — satire chansonnée des personnes —, ou les « chansons de table », parfois orientées par la police qui les manipulait ou par diverses factions — jansénistes, parlements, etc. — n'étaient imprimées que lorsqu'elles n'offraient aucun contenu politique. La censure passait nettement entre le social et le politique : satire de l'individu autorisée, critique du pouvoir politique confinée au manuscrit.

Cette pratique schizophrénique se retrouvait dans d'autres arts de grande diffusion, comme la comédie où il était loisible d'attaquer la noblesse — petits marquis, etc. —, mais où ne devait jamais apparaître de critique du clergé ou de la monarchie, même par le biais des « mauvais ministres ». La période révolutionnaire voit un brusque retournement des choses ou, plus exactement, une modification radicale des critères. Jusqu'en 1790, la chanson « politique », expression d'une opinion dominante — ou dominée — fait l'éloge du monarque : évocation du modèle classique, le « bon roi Henri » dont la propagande du début du règne avait fait de Louis XVI la réincarnation, rattachement des nouveaux temps aux périodes les plus fastes de la monarchie, continuité entre le peuple « héroïque » moderne et les héros traditionnels de la France, de Bayard aux maréchaux de Louis XIV. Cette chanson n'est libérée qu'en apparence, elle reprend des thèmes que la poésie officielle développait depuis vingt ans. On peut mesurer l'évolution après la fuite de Varennes ; l'image royale devient aussitôt négative et on l'associe à « l'hydre » du complot aristocratique ; à l'idéologie un peu lénifiante de 1789-1790, se substitue un enthousiasme révolutionnaire dont témoigne un vocabulaire renouvelé où les valeurs d'*action*, les grands *principes* — liberté, égalité, république universelle — prennent le pas sur les notions de concorde nationale. Ce vocabulaire — sinon la réalité politique — survivra à Thermidor.

La chanson participe activement à la grande bataille

de propagande que la Révolution livre contre ses ennemis de l'intérieur et de l'étranger. Autant le politique était proscrit sous l'Ancien Régime, où le monarque, oint de Dieu, agissait légitimement de manière « absolue », autant la gestion de la cité devient l'affaire de tous quand le peuple — citoyens actifs ou Clubs, sans-culottes et foule plus ou moins incontrôlée — a son mot à dire et peut envahir l'Assemblée et imposer sa loi. L'impression des chansons et leur diffusion sont alors un devoir révolutionnaire. La Contre-Révolution ne pense pas autrement. D'où l'apparition d'un véritable *système chansonnier*.

Le *système chansonnier* est organisé autour de cellules de production et de diffusion. Sous l'Ancien Régime, les chansonniers étaient pour la plupart d'agréables amateurs, issus de la meilleure société, souvent aidés de professionnels venus du théâtre — Dufresny, Pannard, Favart ou Collé. Même les chansons d'aspect populaire — « grivoise » : chanson de soldat ; « poissarde » : chanson de la Halle aux poissons — étaient écrites par des hommes qui voulaient faire peuple — le comte de Caylus — ; telle « muse limonadière », tel Ramponneau, tenancier de la Courtille, voire tel Maître Adam, menuisier de Nevers, n'étaient pour l'essentiel qu'aimable supercherie ou exception insignifiante. Avec la Révolution, on voit naître une nouvelle race de chansonniers. A côté de poètes issus du théâtre — Piis, Auguste Dossian, Saint-Aubin, etc. — et qui continuent une tradition, se distingue une catégorie originale : les chansonniers-fonctionnaires. Bas officiers de l'Ancien Régime souvent, sachant lire, écrire et compter, ils passent naturellement au service de la Révolution dont l'une des premières activités est de développer les ministères et les services administratifs ; ces ancêtres de Courteline furent parmi les producteurs les plus actifs de la chanson révolutionnaire. Ils surent aussi, postés sur les marches du pouvoir, susciter ces grandes entreprises de diffusion de masse décidées par l'administration révolutionnaire. Citons parmi les plus prolifiques de ces chansonniers, P.J.B. Nougaret, commis-secrétaire du Comité de sûreté générale, auteur des *Chansons de guerre pour les soldats français* (an II) et des *Hymnes pour toutes les fêtes nationales* (an IV) ; Dorat-Cubières, secrétaire adjoint au greffier du Conseil de la commune de Paris (une trentaine de chansons) ; Coupigny, employé au ministère de la Marine (une vingtaine) ; Person, inspecteur des écoles primaires, auteur des *Chants républicains* (an III) ; Ducroisi, chef du bureau des procès-verbaux de la Convention, etc. Les représentants des « Sections », chargés d'être les « chansonniers des sans-culottes » — titre que s'attribue Ladré, auteur de plus de cinquante textes — étaient à peine moins nombreux. On notera combien, son enthousiasme patriotique fût-il sincère et son origine pure, la chanson révolutionnaire n'était pas due à la génération spontanée. Ces caractéristiques facilitaient l'entreprise de diffusion, autre volet du *système chansonnier*.

Dès 1790, l'éditeur Frère, spécialisé dans l'édition musicale, commence à publier en série numérotée la suite des chansons qui courent Paris ; on en compte 260 jusqu'en 1794, vendues en feuilles dans la tradition du Pont-Neuf, ou en volume, première ébauche de recueil. Cette initiative privée sera largement dépassée par le *Magasin de musique à l'usage des fêtes nationales*, subventionné par la Convention puis par le Directoire, qui fonctionnera de 1794 à 1799 : il imprime et répand la production chansonnière et les hymnes républicains dans les provinces et aux armées. Un recueil de Thomas Rousseau intitulé *L'Ame du peuple et du soldat*, « Noëls civiques et patriotiques », est ainsi tiré à 100 000 exemplaires — un chiffre énorme pour l'époque — et distribué gratuitement en 1793. Des mains « privées » diffusent parallèlement la même production et, au moins jusqu'en 1791, la chanson contre-révolutionnaire : almanachs chantants qui se combattent à coup de couplets — en 1790, les *Actes des Apôtres* contre les *Révolutions lyriques* de Frère —, airs en feuilles, recueils individuels d'auteur ou pots-pourris. La bibliographie de Constant Pierre comporte près de 400 numéros pour cette diffusion en recueil !

**

La création musicale proprement dite ne suit pas cette évolution. Cela est dû à la tradition du « vaude-ville » qui s'est imposée dans la chanson française depuis le XVIIe siècle, surtout quand elle traite d'actualité, de satire et des plaisirs simples de la vie — l'amour et le vin. La chanson en vaudeville — procédé dont l'origine n'est pas très claire — consiste à faire chanter sur un air connu (le fredon) des vers nouveaux qui s'y adaptent. L'air s'appelle le « timbre ». Au XVIIIe siècle, le vaudeville fut la grande ressource des théâtres de la Foire — ancêtres de l'Opéra-Comique —, d'où l'expression de « comédie à vaudevilles », simplifiée en « vaudeville » pour désigner une pièce légère ornée de couplets musicaux : la chose resta vraie jusqu'à Labiche ; ensuite le terme s'appliqua, comme chez Feydeau, à une simple mécanique théâtrale dont on avait oublié la partie lyrique. Parfois interdites de chanter et de parler (!), certaines scènes de la Foire donnaient à interpréter aux spectateurs le texte de la pièce inscrit sur des « écriteaux ». Leur participation était facilitée par le fait que le « timbre » sur lequel ils fredonnaient les paroles était connu. Le « vaudeville » offre deux avantages qui lui seront précieux sous la

Révolution : il permet d'écrire des chansons sans se préoccuper de la musique et il favorise leur mémorisation. Rapidité et efficacité qui en faisaient les instruments précieux de la pédagogie révolutionnaire. « Si je n'avais composé ce morceau sur un air connu, personne ne l'aurait chanté », notait lucidement le chansonnier Félix Nogaret en 1794.

D'où viennent ces 650 airs répertoriés par C. Pierre ? Fort peu sont très anciens et anonymes, malgré quelques musiques qui ont traversé deux siècles ou presque — « Réveillez-vous, belle endormie » ou « Les bourgeois de Châtres » —, on y trouve de la musique religieuse — « noëls », « menuet d'*Exaudet* » —, car les chants d'église étaient connus de tous, de la musique de théâtre aussi : rarement les grands opéras anciens — de Lully à Rameau —, bien qu'ils aient été utilisés en vaudeville pour chanter des psaumes !, assez peu d'opéras récents — *Tarare* (1787) de Salieri et Beaumarchais, *Richard Cœur de Lion* (1765) de Grétry qui donnera avec « Ô Richard, ô mon roi », le modèle de l'air contre-révolutionnaire —, mais beaucoup d'airs amoureux ou bachiques de l'Ancien Régime, seuls ou accompagnés — clavecin, pianoforte, guitare ou harpe — et une très grande quantité d'airs d'opéras-comiques créés dans les années 1780 et jusqu'à des œuvres tout à fait contemporaines comme *Les Visitandines* (1792) de François Devienne : une cinquantaine de chansons pour cette dernière. Une quinzaine d'airs apparus avec la Révolution, tels le mystérieux timbre du *Ah ! ça ira !* (*Le Carillon national*), *La Marseillaise* ou *Le Chant du Départ*, donnèrent évidemment naissance à des parodies venues de la Contre-Révolution, mais surtout à des chansons qui utilisaient le fantastique succès de la musique d'origine. Les « hymnes » — poèmes plus savants généralement chantés dans les cérémonies de la Révolution — reçurent une musique originale qui les distinguèrent au premier chef de leurs cousins germains chansonniers, ce qui ne veut pas dire que la chanson fût plus « populaire », plus spontanée, nous l'avons noté, que la grande machine des hymnes. Gossec et Méhul mirent des hymnes en musique : de rares chansonniers comme Rouget de Lisle s'essayèrent aux deux genres : *La Marseillaise* d'un côté et de l'autre, quelques jours plus tard, *Roland à Roncevaux*. D'ailleurs, l'aspect belliqueux des vers et de la musique du « Chant de guerre pour l'armée du Rhin » le rapprochait davantage de l'hymne que de la simple chanson.

Les jeux du pastiche et de la parodie dont les Français du XVIIIe siècle faisaient un emploi avisé suggèrent que ces timbres ne sont pas toujours mis innocemment sur des paroles nouvelles. Une chanson royaliste utilise naturellement le thème de *La Bourbonnaise* (« Dans Paris la grand'ville ») et *La Carmagnole* génère des *Carmagnoles* « de Fouquier-Tinville », « des moines », « des royalistes », « du café Yon », voire « de la Vendée » (chanson révolutionnaire). La parodie fleurit évidemment : du *Ah ! ça ira !* on tire un *Ah ! ça ira* en langue poissarde, un *Ah ! ç'a été*, un *Comme ça allait* royaliste. Mais on chante aussi *L'Aristocrate confondu* (1790) sur l'air de « Vive Henri IV », et de nombreuses chansons où les vers et la musique jouent à se contrarier, discordance plaisante pour l'amateur éclairé : *Prière populaire* (1794) soumis au Comité d'Instruction publique de la Convention et chanté sur le timbre : « Adoremus in aeternum » ; *Chanson nouvelle sur la paix* (1797) avec le timbre : « Anglais, prenez garde à vous » ; ou l'air ancien très équivoque : « A la façon de Barbari mon ami » mis à toutes les sauces (14 chansons) !

***

Techniquement, la chanson révolutionnaire n'apporte pas d'innovation marquante. Elle emploie un matériel littéraire éprouvé. De l'hymne inspiré par l'ode et par les grands genres cultivés au XVIIIᵉ siècle, de Jean-Baptiste Rousseau à Lefranc de Pompignan, de Voltaire à Delille, on passe insensiblement aux genres bas dont la simple chanson se contente : airs « grivois », couplets « bachiques », tout l'arsenal des « airs sérieux et à boire » de l'Ancien Régime survit avec ses vers courts et inégaux, ses refrains en pointe et sa feinte improvisation. Il ne faut pas s'en étonner : ces formes primaires avaient prouvé leur efficacité. La reprise en vaudeville d'assez nombreux airs anciens facilite cette permanence de la verve chansonnière nationale. Il n'est jusqu'aux langages traditionnels de la chanson dite « populaire » — langue « poissarde » ou « paysanne » de convention au théâtre — qui ne soient réactivés quand c'est le « peuple » libéré qui chante. Il y aurait beaucoup de naïveté à penser que ces chansons viennent du peuple ; elles ressortissent pour partie à une mode. Marie-Antoinette aimait chanter des airs « folkloriques » ; La Borde en avait recueilli — annonce de futures quêtes romantiques — des séries avant même la Révolution.

La différence avec l'Ancien Régime est que ces formes, ces langages ne sont pas mis au service de l'amour et du vin, qu'ils n'évoquent pas une pastorale galante ou un peuple sans soucis, mais qu'ils appellent à l'action et font éclater les cadres étroits par la violence des sentiments. Une nouvelle *stratégie chansonnière* est née.

La *chanson* révolutionnaire a l'ambition de commenter l'événement, et parfois de le créer. En majorité, il s'agit de textes d'actualité : actualité ponctuelle — les décrets de la Convention, par exemple, et les insurrections parisiennes —, actualité durable qui donne des rebonds aux chansons — le *Chant de guerre pour l'armée du Rhin* se transforme en *Chant des Marseillais*, *Le Chant du Départ* a des modes successives au fil des coalitions. L'*hymne* évoque plutôt les grands sentiments, les pensées patriotiques, l'histoire ou l'Être suprême. Ce n'est guère le domaine du chansonnier, plus volontiers satirique : contre les statuts en déroute — la noblesse, le clergé —, les modes du temps. La pédagogie chansonnière fonctionne à plein dans ces airs : les vieux mots romains — liberté, vertu — se mêlent à des effluves nouveaux — bonnet rouge, tyrans, guillotine. Le patriotisme, la haine des rois qui n'entraîne pas celle des peuples — malgré des dérapages anti-prussiens, anti-autrichiens ou anti-anglais —, l'idéalisation de certains concepts — citoyen, peuple — donnent des instantanés successifs — et souvent évolutifs — de l'illusion *lyrique* qui présida aux journées révolutionnaires. On chante partout : dans la rue, dans les Clubs, aux tribunes des Assemblées, autour de la guillotine et sur la charrette des condamnés, en chargeant l'ennemi. Le *chœur*, les immenses foules chantantes des grandes fêtes de la Révolution témoignent que la chanson est autre chose qu'un commentaire ; elle est l'incarnation de l'unité populaire, une drogue peut-être, une entreprise narcissique sans doute.

« Chansons, chansons ! » disait un vaudeville célèbre de l'Ancien Régime. Parodiant Beaumarchais, un journaliste de la *Chronique de Paris* concluait finement : « Faire notre Révolution en chantant est un moyen presque sûr de l'empêcher de finir par des chansons. »

François MOUREAU.

Principes de l'édition

Notre choix de chants est classé selon l'ordre chronologique de leur rédaction ou des événements qui les ont suscités. Nous y ajoutons le *timbre* musical sur lequel ils doivent être interprétés.

Les références à Pierre renvoient à la bibliographie de cet auteur signalée p. 213 ; pour la musique, nous donnons le numéro de l'air dans *La Clef du caveau* de Capelle.

Chronologie des principaux
événements révolutionnaires

1789

Mars-mai. — Émeutes de la faim en province.

5 mai. — Ouverture des États Généraux.

20 juin. — Serment du Jeu de Paume.

9 juillet. — L'Assemblée se proclame Assemblée nationale constituante.

16 juillet. — L'Assemblée nationale exige le rappel de Necker. Le roi cède, ordonne aux troupes de quitter Paris et reçoit, à l'Hôtel de Ville de Paris, la nouvelle cocarde nationale.

18 juillet. — Ceux qui ont tout à craindre de la Révolution commencent à émigrer (le comte d'Artois, le prince de Condé, le prince de Broglie...).

4 août. — Dans la nuit, abolition des privilèges.

26 août. — L'Assemblée adopte le texte de la Déclaration des droits de l'homme.

11 septembre. — L'Assemblée accorde au roi le droit de veto.

5 et 6 octobre. — Journées d'octobre.
La famille royale s'installe aux Tuileries.

19 octobre. — Naissance, à Paris, de la Société des amis de la Constitution qui devient, plus tard, le club des jacobins.
Transfert de l'Assemblée à Paris.

2 novembre. — Les biens du clergé sont mis à la disposition de la Nation.

14 décembre. — Création des assignats.

1790

27 avril. — Création du club des Cordeliers.

12 mai. — Fondation du club des Feuillants.

12 juillet. — L'Assemblée vote la Constitution civile du clergé.

14 juillet. — Fête de la Fédération au Champ-de-Mars.

1791

2 avril. — Mort de Mirabeau.

14 juin. — Vote de la loi Le Chapelier.

20 et 21 juin. — La famille royale s'enfuit ; le roi est reconnu à Varennes.

9 juillet. — L'Assemblée prend un décret incitant les émigrés à rentrer dans les deux mois.

11 juillet. — Les cendres de Voltaire sont transférées au Panthéon.

17 juillet. — Massacre du Champ-de-Mars.

27 août. — Déclaration de Pillnitz.

14 septembre. — Le roi prête serment à la Constitution.

1er octobre. — Première séance de l'Assemblée législative.

31 octobre. — Le comte de Provence doit rentrer dans les deux ans sous peine de perdre ses droits à la Régence.

9 novembre. — Tous les émigrés doivent rentrer sinon ils seront déclarés suspects de conjuration contre la France.

11 novembre. — Louis XVI oppose son veto aux décrets votés par l'Assemblée.

1792

9 février. — L'Assemblée déclare que les biens des émigrés sont confisqués au profit de la Nation.

20 avril. — Déclaration de guerre au « roi de Bohême et de Hongrie ».

8 juin. — Décret de l'Assemblée sur la levée de 20 000 fédérés.

11 juin. — Louis XVI oppose son veto aux décrets du 27 mai sur la déportation des prêtres réfractaires et du 8 juin sur la formation d'un camp de fédérés à Paris.

13 juin. — Renvoi des ministres girondins.

20 juin. — Les sans-culottes pénètrent dans l'Assemblée et envahissent les Tuileries ; le roi refuse de rappeler les ministres jacobins.

11 juillet. — Décret proclamant la patrie en danger.

25 juillet. — Manifeste de Brunswick.

29 juillet. — Robespierre demande la déchéance de Louis XVI.

10 août. — Insurrection parisienne : mise à sac du château des Tuileries ; le roi est suspendu ; convocation d'une Convention.

11 août. — L'Assemblée élit un conseil exécutif de six ministres, dont Roland à l'Intérieur et Danton à la Justice.

17 août. — L'Assemblée décide la création d'un tribunal criminel extraordinaire.

20 septembre. — Bataille de Valmy.
Dernière séance de l'Assemblée législative. Elle proclame l'autorisation du divorce et la laïcisation de l'état civil.
Première séance de la Convention.

22 septembre. — Proclamation de la République (l'an I).

25 septembre. — La foule massacre hommes et femmes dans les prisons de Paris.

6 novembre. — Victoire de Jemmapes.

13 novembre. — Le procès du roi débute à l'Assemblée.

1793

7 janvier. — A l'Assemblée, fin des débats sur le procès du roi.

21 janvier. — Louis XVI est guillotiné.

1er février. — Déclaration de guerre à l'Angleterre et à la Hollande.

24 février. — La Convention décrète la levée de 300 000 hommes.

7 mars. — Déclaration de guerre à l'Espagne.

10 mars. — Création du tribunal révolutionnaire.

11 mars. — Les Vendéens refusent le décret du 24 février et se soulèvent contre la Convention.

21 mars. — La Convention institue dans les communes les comités de surveillance révolutionnaire.

6 avril. — Création du Comité de salut public.

4 mai. — La Convention décrète le premier maximum.

5 mai. — L'insurrection vendéenne s'étend.

24 mai. — Le conflit entre Girondins et Montagnards s'amplifie.

2 juin. — Arrestation des députés girondins.

24 juin. — La Convention vote la Constitution de 1793, dite de l'an I.

10 juillet. — La Convention renouvelle le Comité de salut public qui va organiser le gouvernement révolutionnaire jusqu'à l'arrestation de Robespierre.

13 juillet. — Marat est assassiné.

10 août. — Fête du premier anniversaire de la chute de la monarchie.

23 août. — La Convention décrète la levée en masse.

17 septembre. — La loi des suspects est votée.

29 septembre. — La Convention décrète le Maximum général.

5 octobre. — Adoption du calendrier révolutionnaire.

16 octobre. — Exécution de Marie-Antoinette.

24 octobre. — Condamnation à mort des Girondins.

10 novembre. — Fête de la Raison à Notre-Dame. Elle marque l'apogée de la déchristianisation.

4 décembre. — Constitution du gouvernement révolutionnaire.

19 décembre. — Reprise de Toulon sur les Anglais et les royalistes.

1794

3 janvier. — Les « colonnes infernales » dévastent la Vendée.

4 février. — La Convention décrète la suppression de l'esclavage dans les colonies françaises.

21-24 mars. — Procès et exécution des hébertistes.

29 mars. — Arrestation des dantonistes.

7 mai (18 floréal an II). — Le culte de l'Être suprême est institué par Robespierre.

4 juin. — Robespierre devient président de la Convention.

8 juin. — Fête de l'Être suprême présidée par Robespierre.

10 juin (22 prairial an II). — Loi dite de « Grande Terreur ».

26 juin. — Victoire de Fleurus.

27-28 juillet (9-10 thermidor an II). — Chute de Robespierre. Ses partisans sont guillotinés.

1er août. — La loi du 22 prairial est abolie.

11 octobre. — Les cendres de J.-J. Rousseau sont transférées au Panthéon.

12 novembre. — Fermeture du club des jacobins.

21 décembre. — Marie-Joseph Chénier est chargé d'organiser les fêtes décadaires.

24 décembre. — Restauration de la liberté économique après la suppression de la loi du maximum.

1795

7 février. — Arrestation de Babeuf. Début de la Terreur blanche.

1er avril. — Les sans-culottes se soulèvent et réclament des mesures contre la disette et l'application de la Constitution de 1793. Violente répression.

7 mai. — Fouquier-Tinville est guillotiné.

20 mai. — Nouvelle journée sans-culotte.

22 août. — La Constitution de l'an III est votée.

5 octobre. — Insurrection royaliste à Paris.

18 octobre. — Babeuf, remis en liberté, fonde le club du Panthéon.

26 octobre. — Dernière séance de la Convention.

3 novembre. — Le Directoire prend ses fonctions.

5 décembre. — Babeuf, arrêté par le Directoire, passe dans la clandestinité.

1796

30 mars. — Babeuf organise la conspiration des Égaux.

Avril-septembre. — Campagne d'Italie.

10 mai. — Arrestation, par le Directoire, des chefs de la conspiration des Égaux.

1797

10 mars. — Proclamation de Louis XVIII. Engage ses partisans à gagner les élections de l'an V.

26 mai. — Condamnation à mort de Babeuf.

4 septembre (18 fructidor an V). — Le Directoire organise un coup d'État pour écraser les royalistes.

17 octobre. — Signature à Campoformio de la paix entre la France et l'Autriche.

1798

Mai. — Campagne d'Égypte.

11 mai (22 floréal an VI). — Coup d'État du Directoire qui invalide les élections dans certains départements.

Décembre. — Création de la République parthénopéenne.

1799

5 juin. — Les Conseils rendent le Directoire responsable des défaites subies par la France.

18 juin. — Deux Directeurs démissionnent. Le Conseil des Anciens se joint aux Cinq-Cents dans l'espoir d'évincer les députés conservateurs. Nomination de quatre nouveaux Directeurs.

Octobre. — Les chefs vendéens et chouans tentent des insurrections qui échouent.

23 octobre. — Lucien Bonaparte est élu président du Conseil des Cinq-Cents.

9-10 novembre (18-19 brumaire an VIII). — Coup d'État de Napoléon Bonaparte. Il devient premier consul.

1787

« Ô TOI QUI SAIS DE LA FINANCE »

Anonyme
Sur l'air : « Réveillez-vous, belle endormie »

A la fin de 1788, la Révolution n'est encore qu'une crise de gouvernement. Dans l'inconscient collectif, Genève et finance riment avec confiance. Necker, limogé en 1781, est le père tutélaire qui remplace un roi défaillant. Selon la tradition de la monarchie française, il suffira au roi « mieux informé » de se débarrasser des mauvais ministres. Calonne, qui succéda à Necker, a donc tous les vices. La « cour » a tous les défauts ; bientôt ce sera l'aristocratie. Cette chanson pré-révolutionnaire que l'on peut dater d'avant l'éviction de Calonne, le 9 avril 1787, est un bon exemple des illusions sur le pouvoir de la finance à rendre les hommes heureux.

SOURCE : *Recueil Delmasse* (Paris, B.N., ms.). Musique : Capelle 512 ; air du XVIe siècle, souvent repris en vaudeville au cours des époques suivantes.

Ô toi qui sais de la finance
Mettre les secrets au grand jour,
Tu seras chéri de la France,
Tu seras chassé de la cour.

Par une noble confiance,
Tu veux mériter notre amour.
Tu connais l'esprit de la France,
Ce n'est pas celui de la cour.

25

Tu voulais que la récompense
Du mérite fût le retour,
C'était bien le vœu de la France,
Que n'est-ce celui de la cour ?

Nous croyons que ton éloquence
Nous a peint ton cœur sans détours,
A la vertu l'on croit en France,
N'y croirait-on plus à la cour ?

Tu peux affecter sans jactance[1],
Pour le bien, un ardent amour,
On se permet bien plus en France,
Est-on plus modeste à la cour ?

La plus tendre reconnaissance
Dans nos cœurs s'accroît chaque
                              [jour,
Quand on plaît à toute la France,
Devrait-on déplaire à la cour ?

Mieux que toute fausse prudence,
La vertu servira toujours,

On le sait dans toute la France,
On l'ignore encor à la cour.

Par une sage expérience,
Louis, vous apprendrez un jour
Que c'est aux dépens de la France
Que l'on réussit à la cour.

Grand Prince, votre bienfaisance
De nos maux peut tarir le cours,
Rendez-vous aux cris de la France,
Rappelez Nekkre[2] à votre cour !

Si dans une juste balance
Nous pesons le contre et le pour,
Nous verrons gens de cour en France
Et de bons Français à la cour.

Calonne peut sans conséquence
De Necker vanter le discours,
S'il sait parler comme la France,
Il sait agir comme à la cour.

---

1. Hardiesse à se faire valoir. — 2. Prononciation normale pour : Necker.

1789

LE TIERS ÉTAT

Anonyme
Sur l'air : « Vous qui de l'amoureuse ivresse »

C'est dans une chanson bachique que s'exprime encore traditionnellement ce porte-parole du Tiers qui mêle Necker et le bon Henri IV dans un même éloge, ces deux illustrations étant présentées — on pourrait s'en étonner — comme des représentations symboliques du « peuple ». Le « complot » aristocratique, grand fantasme de 1788-1789, n'est pas loin. Une délégation de dames poissardes de la Halle chanta cet air le 18 mai 1789 à l'Archevêché. Dédiée au docteur Guillotin, député du Tiers à Paris, la chanson était jouée avec un accompagnement de guitare, sonorités et ton qui évoquent les sorties insolentes de Figaro au comte Almaviva.

Source : Paris, Bonvalet. « A M. le Dr G. » (Pierre 179). Musique : Capelle 1402 ; air d'Albanèse pour une chanson du chevalier de Parny.

Si le clergé, si la noblesse,
Mes chers amis,
Ont pour nous si grande rudesse,
Tant de mépris,

Laissons-les tous en faire accroire,
Prendre l'État,
En attendant nous allons boire
Au Tiers État.

27

Devant la divine justice,
Pas plus que nous,
A quoi leur servent l'artifice
Et le courroux,
Auraient-ils perdu la mémoire
Que leur éclat
Provient de même que leur gloire,
Du Tiers État ?

Nous devons tout à la puissance,
Respect, égards,
D'où l'homme a-t-il pris sa naissance,
C'est du hasard.
Le premier qui se rendit maître,
Fut un soldat.
Il fut Roi... d'où tenait-il l'être ?
Du Tiers État.

Sans doute, on voit plus d'un grand
Parmi les grands,   [homme
Notre cœur en bénit un homme
Plein de talents,
Mais tel qui se rend si sévère,
Si délicat,
A peut-être Monsieur son père
Du Tiers État.

Le reptile est, dessus la terre,
Mis pour ramper,
Mais c'est exciter sa colère
De le frapper.
L'imprudent devient la victime
De ce combat,
C'est la naturelle maxime
Du Tiers État.

Vous qui nous traitez de racaille
Si poliment,
Comme nous, vous payerez la taille[1]
Très « noblement ».
Vive le sauveur de la France,
Necker, vivat !
D'où ce héros tient-il naissance ?
Du Tiers État.

De Henri, notre bon monarque
A le grand cœur
Il veut, il fait, il nous le marque,
Notre bonheur.
Aimons-le toujours avec zèle,
Servons l'État ;
Qu'à Louis, soit toujours fidèle
Le Tiers État.

_____
1. Impôt « réservé » au tiers état.

LA PRISE DE LA BASTILLE OU
PARIS SAUVÉ, CHANT NATIONAL

« Par un citoyen de Paris »
Musique : P. Ligny

Parmi les nombreuses chansons qui célébrèrent la chute de la Bastille, envahie pour se procurer de la poudre, mais devenue aussitôt le symbole de la tyrannie vaincue par la volonté populaire, celle-ci préfigure curieusement *La Marseillaise*, sans son agressivité. La Révolution semble achevée : un nouvel ordre s'est installé, fait de « bon sens » et de « courage ».

SOURCE : *Poésies révolutionnaires et contre-révolutionnaires*, 1821 (Pierre 191*). Musique originale qui n'a pas été conservée ; par un compositeur dont c'est la seule œuvre cataloguée.

Liberté ! de la tyrannie
Lorsque l'asile est renversé,
Je veux célébrer ton génie,
Car mon cœur n'est plus oppressé.
Déjà les Filles de Mémoire[1]
En dépit de tes ennemis,
Consacrent ce trait de l'histoire
Du brave peuple de Paris.

Quand de mercenaires phalanges
De Paris cernaient les remparts,
Éprouvant des craintes étranges
On s'agitait de toutes parts ;
Mais bientôt cette frayeur cède :
Un sentiment plus élevé,
Liberté, t'invoque à son aide,
A ta voix Paris fut sauvé.

Dans ce terrible et brusque orage,
Sans projet, ni plan concerté,
Que de bon sens, que de courage
Parmi le peuple ont éclaté :
Que d'ordre pour que rien ne sorte
De l'enceinte de la cité :
Des canons sont à chaque porte
Placés avec célérité.

De cent cloches le son[2] lugubre
Est le signal du ralliement.
Lors, des conseils le plus salubre
Se forme précipitamment.

Dans l'enceinte de chaque temple,
C'est devant la Divinité
Que d'une union sans exemple,
Renaquit la fraternité.

On s'encourage, on prend les armes ;
Jeunes et vieux tous sont guerriers :
La beauté, retenant ses larmes,
Va ceindre leurs fronts de lauriers.
Sur les ailes de la victoire
Ils volent au temple de Mars,
Où d'anciens amants[3] de la gloire
Se rangent sous leurs étendards.

Gardes-Françaises, redoutables,
Premier fléau des oppresseurs ;
C'est en vous, soldats indomptables,
Que le peuple eut des défenseurs,
Quand son ardent patriotisme
Lui faisait braver le trépas,
Vers l'antre affreux du despotisme
C'est vous qui guidâtes ses pas.

Rends-toi, Bastille trop superbe !
A ce fier peuple il faut céder :
Ton front sera caché sous l'herbe,
Si tu prétends lui résister :
Bravant les foudres despotiques,
Il va pénétrer dans tes cours
Malgré tes murailles antiques
Et tes huit menaçantes tours.

On vole, on entre en foule, on crie :
On s'élance vers les cachots :
Hullin[4], Humbert, Maillard, Élie,
Guident ce peuple de héros,
Déjà quantité de victimes,
Revoyant du jour la clarté,
Des tyrans attestent les crimes,
Et bénissent la liberté.

Sans qu'on en blâme la raison ;
Mais il avait feint de se rendre,
Et l'on punit sa trahison.

Déjà les bandes helvétiques[7]
Abandonnent leurs pavillons :
Paris, du haut de ses portiques,
Voir fuit leurs nombreux bataillons.
Ô Rome ! en héros si féconde,
Quand tu proscrivis tes tyrans,
Tes fils, depuis vainqueurs du
[monde,
Se sont-ils donc montrés plus
[grands ?

Arné[5], grenadier intrépide,
Avait saisi le gouverneur[6],
En qui l'on crut voir un perfide,
Infidèle aux lois de l'honneur.
Bravement il dût se défendre

---

1. Métaphore poétique désignant les muses. En simple prose : l'histoire. —
2. Le tocsin (note de 1821). — **3.** Les Invalides livrèrent toutes les armes qui se trouvaient dans leur hôtel (note de 1821). — **4.** Hullin, employé à la buanderie de la reine, depuis général. Humbert, ouvrier horloger. Maillard, bourgeois. Élie, ancien capitaine au régiment du roi (note de 1821). — **5.** Arné, grenadier des gardes-françaises (note de 1821). — **6.** Le marquis de Launay, gouverneur de la Bastille, avait permis que l'on reçût des parlementaires ; cependant, quand ils furent dans la seconde cour, on fit sur eux une décharge qui en tua plusieurs. On assure qu'il n'avait pas donné cet ordre. Quoi qu'il en soit, il paya de sa vie cette infraction aux lois militaires (note de 1821). — **7.** Les Suisses et autres étrangers, campés au Champ-de-Mars (note de 1821).

FORMATION DE LA GARDE NATIONALE PARISIENNE LE 15 JUILLET 1789

Paroles de T. Rousseau
Sur l'air : « Il pleut, il pleut, bergère »

Le jour où le roi annonce le départ des troupes qui encerclent la capitale, La Fayette est nommé commandant de la Garde nationale parisienne. L'ordre paraît maintenant assuré par le peuple en armes et par la nouvelle municipalité. La « ligue infernale » du complot aristocratique va reculer devant les nouveaux héros qui évoquent encore les gloires anciennes de la monarchie louis-quatorzienne : Turenne, Catinat ou Fabert.

SOURCE : T. Rousseau, *Les Chants du patriotisme*, 1792 (Pierre 196). Musique : Capelle 233 ; célèbre chanson de Fabre d'Églantine sur une musique de Simon.

Frères, courons aux armes !
L'empire[1] est en danger.
Dans ces moments d'alarmes,
Courons le dégager :
Tous bouillants d'énergie,
Tous fiers de nos succès,
Prouvons à la patrie
Que nous sommes Français.

Lancés dans la carrière,
De nos chefs belliqueux,
D'une noble poussière
Couvrons-nous à leurs yeux.
L'amant de la victoire,
De courage enflammé,
Pour voler à la gloire,
Naît soldat tout armé.

Des enfants de la Grèce[2]
Possédant la valeur,
A leur active adresse,
Joignons la vive ardeur.
De nos lois tutélaires,
Joignons, pour le maintien,

Aux vertus militaires,
Celles de citoyen.

Qu'un même amour nous lie,
Qu'il confonde nos cœurs.
De la honteuse envie,
Étouffons les fureurs.
Le franc-guerrier qu'on aime,
Le vrai soldat héros,
Doit être noble, même
Jusque dans ses défauts.

Qu'enchaînés sans contrainte
Par son nœud le plus beau,
De nous, l'amitié sainte
Ne forme qu'un faisceau.
Des trames les plus noires,
Sûrs de triompher tous,
Les plus grandes victoires
Seront des jeux pour nous.

Si la Ligue infernale
Que nous allons punir,
Par sa lâche cabale

Pouvait nous désunir,
Nos meilleurs patriotes,
Dans cet affreux revers,
N'auraient plus aux despotes
Qu'à mendier des fers !

Contre une absurde crainte,
Que vous me rassurez !
Tous, vous portez l'empreinte
Des sentiments sacrés
Que fait briller le Sage,
Le soldat exalté,

Fier enfant du courage,
Et de la liberté.

Espérance chérie
De l'Empire français,
Déjà de la patrie
Vous comblez les souhaits.
Qu'honorant de Turenne
Et l'habit et l'État,
Chacun de vous devienne
Fabert ou Catinat.

---

1. La Nation. — 2. Le mythe de la Grèce antique nourrissait la nouvelle idéologie révolutionnaire.

CHANSON DE MM. LES FORTS DE LA HALLE ET DU PORT AUX BLÉS

Anonyme
Sur l'air : « En passant sur le Pont-Neuf »

En langage « poissard » traditionnel — celui des parades théâtrales du XVIIIe siècle, œuvres aussi peu populaires que possible, rédigées et jouées par l'aristocratie sur des scènes privées —, ce récit des journées d'Octobre qui ramenèrent la famille royale de Versailles à Paris reprend certaines habitudes de la chanson de Pont-Neuf : vivacité populaire, monarchisme naïf (révérence, une fois encore, au « bon roi » Henri, dont la statue équestre sur le pont prouve l'alliance du peuple et de son maître), mais aussi évocation du complot de famine et aristocratique — les armées sur les marches de l'Est : Metz —, des premières manifestations de la justice « populaire » — « queuqu'têtes » décollées — et la détermination de défendre la monarchie libérée de même que les hommes symboles de l'année — La Fayette, Bailly et Necker.

SOURCE : *Chronique de Paris*, 7 décembre 1789 (Pierre 252). Musique : inconnue à Capelle ; voir P. Coirault, *Formation de la chanson folklorique*, Paris, 1953, t. I, p. 81 (trois versions, air à une voix).

32

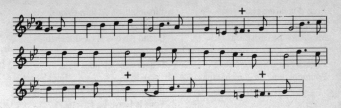

Not' bon Roi s'plaît z'à Paris,
Ça ravigotte l'z'esprits.
Le v'là sous la sauvegarde
D'not' honneur et d'not' amour,
Nos cœurs y montons la garde
On s'bat pour y avoir son tour.

A Metz y voulions l'emmener
Pour afin de l'emprisonner :
Y voulions la guerr' civile
Et qu'not' sang fût répandu
Mais c'te guerr' fort z'incivile,
J'l'avons t'arrêtée sus cu.

Enfin j'l'obtenons pourtant
C'bonheur que j'désirions tant.
Sa bonn' ville d'origine
Est zous qu'il est le plus chéri :
J'lui f'rons bonn' chère et bonn'
                        [mine,
Comm' nos pèr'z'au bon Henri.

V'là la cause du pourquoi
Qu'j'avons t'été charcher le Roi.
Ceux qui lui tendions d'z'embuches,
J'les ont pris dans leux filets :
Les v'là sots comme des cruches
Et chifflés par les valets.

S'ils ameutons les brigands
J'avons nos moules de gants,
J'f'rons voir qu'les forts de la Halle

Et les forts du Port-z'aux-blés,
Pour sabouler[1] zeun' cavale,
Sont nerveux et ben râblés.

A peu d'frais j'ons t'acheté
Not' heureuse liberté.
Il en a coûté queuq' têtes,
Qui d'ça se s'raient ben passées,
Mais il n'est point d'bonnes fêtes
Sans queuq'verres cassés.

C'est dans la tranquillité
Qu'on jouit d'la liberté :
J'nous mang'rons-t-y zentre frères
Comme de vrais garnements ?
Not' roi qu'est l'meyeur des pères,
Aura-t-y d'mauvais enfants ?

Il se rend à not'souhait
Rendons-lui l'bien qu'il nous fait :
Laissons-le dans son tranquille,
N'affligeons plus son bon cœur :
Que c'bon Roi, dans sa bonne ville
N'y voy' p'us d'sabbat ni d'horreur.

Plus je n'nous mêl'rons de rien,
Et plus not' bien ira bien :
A c'manège j'ons nos pères,
Ces lurons entendrons l'chic.
Ils « manèg'ront » nos affaires
Aussi bien que not' district.

33

J'ons d'la farine et du grain,
J'n'ons pas peur d'mourir d'faim :
Messieurs d'« l'aristracas'rie »,
Vos beaux jours s'raient-ils perdus ?
J'avons l'air d'une targédie :
Pourquoi donc qu'je n'chantons
[p'us ?

J'somm' de drôles d'moigneaux
D'venus libres, j'ons le bec clos
Quand j'étions dans l'esclavage,

J'fredonnions de jolis chants,
J'ons l'air de r'gretter la cage
Quand j'avons la clé des champs.

D'quoi donc qu'nous nous
[inquiétons ?
Buvons l'rogomme[2] et chantons :
J'ons le brave La Fayette,
L'sag' Necker et le bon Bailly.
Ils nous tireront braye nette
Avec le temps, du margouillis.

1. Renverser. — **2.** Eau-de-vie.

LE SANS-SOUCI PATRIOTE

Par M.L.C.
Sur l'air : « Eh qu'est-c'qu'ça m'fait à moi »

La chanson bachique s'adapte aussi à l'air du temps. Autrefois, les ennuis du ménage servaient, par contraste, de justification à l'art de boire. Aujourd'hui, ce sont les malheurs des privilégiés ou des anciens profiteurs de la monarchie — clergé, juges, financiers, aristocrates ou écrivains à gages — qui excitent le gosier du nouveau « Grégoire » à chanter et à boire.

SOURCE : *Révolutions lyriques*, Paris, 1790 (Pierre 344). Musique : Capelle 119 ; air d'Albanèse pour une chanson de l'abbé Rive, avant 1787.

34

Qu'à son gré, chacun ballotte
Le haut et le bas clergé,
Qu'en dépit du préjugé,
On lui pousse mainte botte.

Eh ! qu'est-c'qu'ça m'fait à moi ?
Je ne porte point calotte.
Eh ! qu'est-ce que ça m'fait à moi,
Quand je chante et quand je bois ? } *(bis)*

Qu'un Frocard à grosse panse
Craigne que la nation
Ne retranche, avec raison,
Quelque plat de sa pitance.

Eh ! qu'est-c'qu'ça m'fait à moi ?
Je respecte l'abstinence.
Eh ! qu'est-ce que ça m'fait à moi,
Quand je chante et quand je bois ? } *(bis)*

Que le Procureur s'irrite
Du nouveau code français
Qui raccourcit les procès
Et rétrécit sa marmite.

Eh ! qu'est-c'qu'ça m'fait à moi ?
Je ne suis point parasite,
Eh ! qu'est-ce que ça m'fait à moi,
Quand je chante et quand je bois ? } *(bis)*

Qu'un commis de la finance,
Anobli d'hier matin,

Vienne avec son parchemin
Exposer sa doléance.

Eh ! qu'est-c'qu'ça m'fait à moi ?
Je ne prends pas sa défense.
Eh ! qu'est-ce que ça m'fait à moi,
Quand je chante et quand je bois ?   } (bis)

Qu'un gentilhomme méprise
L'honnête et simple marchand
Dont il demande souvent,
A crédit, sa marchandise,

Eh ! qu'est-c'qu'ça m'fait à moi ?
Il faut bien qu'il s'humanise,
Eh ! qu'est-ce que ça m'fait à moi,
Quand je chante et quand je bois ?   } (bis)

Qu'un écrivain famélique
Réchauffe pour un écu
Du despotisme vaincu
La cendre aristocratique.

Eh ! qu'est-c'qu'ça m'fait à moi ?
Je ne suis pas de la clique.
Eh ! qu'est-ce que ça m'fait à moi,
Quand je chante et quand je bois ?   } (bis)

Que la Ligue épiscopale,
De concert avec les Grands,
Fasse siffler les serpents
De la discorde infernale.

Eh ! qu'est-c'qu'ça m'fait à moi ?
Je persifle la cabale,
Eh ! qu'est-ce que ça m'fait à moi,
Quand je chante et quand je bois ?   } (bis)

1790

LES NOUVEAUX APÔTRES ARISTOCRATES

Anonyme
Sur l'air de La Lanterne

Ces couplets furent composés « à l'occasion du décret de l'Assemblée nationale qui déclare que les biens possédés par le clergé appartiennent à la Nation » (14 mai 1790). Une bonne partie des travaux de la Constituante est consacrée dans les premiers mois de 1790 à réorganiser le clergé (suppression des ordres contemplatifs, 13 février), à le contrôler (obligation faite aux curés de lire en chaire les décrets de l'Assemblée, 23 février) et à procéder à la vente de ses biens,.puisque les clercs seront dorénavant à la charge de la Nation (décrets des 19 novembre et 17 décembre 1789, des 17 mars et 14 avril 1790). Le courant anticlérical, souvent présent dans la chanson française depuis le Moyen Age, trouve une nouvelle légitimation. La lutte des Philosophes, de Voltaire à d'Holbach, avait à peine ajouté quelques feuilles nouvelles à l'argumentaire. L'allusion finale à la « lanterne », réverbère où les révolutionnaires de 89 pratiquaient la justice la plus expéditive en y pendant les « aristocrates », suggère que du temps a passé depuis que Louis, de « roi de France », est devenu « roi des Français » (10 octobre 1789). Une fois de plus, la Révolution semble achevée.

SOURCE : *Chronique de Paris*, 1er mai 1790 (Pierre 246). Musique : inconnue.

Riches chanoines
Du vallon de Tempé[1],
  Orgueilleux moines,
Votre espoir est trompé :
Vous ne nous direz plus
Que ces gros revenus
Étaient vos patrimoines ;
Vos tours sont superflus,
  Riches chanoines.

  Dans l'Évangile
On vous offre un moyen
  Pour être utile
Au bon peuple chrétien.
Craignez-vous l'embarras,
Faites de courts repas,
Soyez sages en ville :
La licence n'est pas
  Dans l'Évangile.

  Du sacerdoce
Prenez l'humilité :
  Dans un carrosse
Dieu n'a jamais monté.
Saint Pierre nous l'apprit,
Et dans Rome en crédit,
Monté sur une rosse,
Avait-il moins l'esprit
  Du sacerdoce ?

  En résidence,
Tous nos pasteurs soumis,
  Dans l'innocence
Conduiront leurs brebis.
De la douce vertu
Le chemin est battu,
Puisque le roi de France
Chez son peuple est venu
  En résidence.

  Nymphes jolies,
Déesses d'Opéra,
  De vos folies
Qui donc s'amusera ?
La Ferme[2] est aux abois ;
Des prélats ont fait choix ;
Adieu les fantaisies :
Les crosses sont de bois,
  Nymphes jolies.

  Plus de lanterne,
La paix est parmi nous ;
  Chacun discerne
D'où vient un sort si doux :
Nous possédons Louis ;
Il n'est plus d'ennemis.
La sagesse gouverne :
Dès lors, mes chers amis,
  Plus de lanterne.

_____

1. Vallée de Thessalie où séjourna Apollon. En bonne prose : lieu de délices. — **2.** La Ferme générale, c'est-à-dire le système d'affermage des impôts à des financiers qui les récupéraient et au-delà sur les contribuables.

CHANSON PATRIOTIQUE

Paroles de P.-A. de Piis
Sur l'air des Dettes (« *On doit soixante mille francs* »)

Pendant les préparatifs de la Fédération, Paris bourdonnait aussi de chansons destinées à animer les citoyens, moins actifs que les terrassiers du Champ-de-Mars ; telle celle-ci du célèbre Pierre-Antoine de Piis, ci-devant « chevalier de » et secrétaire du comte d'Artois : elle fut chantée le 17 juin 1790 au Club de 1789, situé au Palais-Royal, où l'on rencontrait les modérés qui s'étaient séparés du Club des Jacobins ; ils formèrent ensuite le Club des Feuillants. Sieyès, dont il est question avec éloge dans la chanson, et La Fayette en étaient les représentants les plus éminents. L'allusion « maçonnique » finale est assez exceptionnelle dans la chanson révolutionnaire, généralement discrète sur l'activité des Loges. Dès 1781, Piis appartenait à la loge parisienne *La Candeur*.

SOURCE : *Chronique de Paris*, 21 juin 1790 (Pierre 303). Musique : Capelle 428 ; air tiré des *Dettes*, opéra-comique de Forgeot, musique de Champein, représenté avec succès à la Comédie-Italienne le 8 janvier 1786.

Les traîtres à la nation
Craignent la fédération,
  C'est ce qui les désole ;

Mais aussi, depuis plus d'un an,
La Liberté poursuit son plan,
  C'est ce qui nous console.

39

L'instant arrive où pour jamais
Vont s'éclipser tous leurs projets,
  C'est ce qui les désole ;
Mais l'homme enfin va cette fois
Rétablir l'homme dans ses droits,
  C'est ce qui nous console.

Il arrive souvent qu'au bois
On va deux pour revenir trois,
  Dit la chanson frivole.
Trois ordres s'étaient assemblés :
Un sage abbé[1] les a mêlés,
  C'est ce qui nous console.

Quelques-uns regrettent leurs rangs,
Leurs croix, leurs titres, leurs rubans,
  C'est ce qui les désole.
Ne brillons plus, il en est temps,
Que par les mœurs et les talents,
  C'est ce qui nous console.

Sans doute on fera moins de cas
Et des cordons et des crachats[2],
  C'est ce qui les désole ;
Mais des lauriers, mais des épis,
Des feuilles de chêne ont leur prix,
  C'est ce qui nous console.

On en a vu qui, tristement,
N'ont fait qu'épeler leur serment,
  C'est ce qui nous désole ;
Qu'on le répète à haute voix
De bouche et de cœur à la fois,
  C'est ce qui nous console.

La loge de la Liberté
S'élève avec activité :
  Maint tyran s'en désole.
Peuples fortunés, ces leçons
Vous rendront frères et maçons,
  C'est ce qui nous console.

---

1. L'abbé Sieyès avait proposé, le 17 juin 1789, la constitution des représentants du Tiers en Assemblée nationale. — 2. Décorations portées par les nobles.

RÉCIT DES TRAVAUX FAITS
AU CHAMP-DE-MARS

Anonyme
Sur l'air : « Soldats français, chantez Roland »

Venus de la France entière pour la fête de la Fédération, les patriotes édifièrent au Champ-de-Mars un lieu digne de la circonstance. Ils se donnèrent un surcroît d'enthousiasme par des chansons dont il reste de nombreux exemples.

SOURCE : « Récit [...] dans la première quinzaine de juillet 1790, pour la Fédération », *Almanach des Muses*, 1791 (Pierre 314). Dumersan l'attribue à une « Madame *** » (*Chansons nationales*, p. 82). Musique : Capelle 965 ; chanson de Roland par Bonvarlet.

Allons, Français, au Champ-de-Mars
Pour la fête fédérative,
Bravons les travaux, les hasards,
Voilà que le grand jour arrive.
Bons citoyens, accourez tous :
Il faut creuser, il faut abattre.
Autour de ce champ, formez-vous
En magnifique amphithéâtre,
Et de tous états, de tous rangs,
Pour remplacer le mercenaire,
Je vois trois cent mille habitants :
La réussite est leur salaire. *(bis)*

Le Duc avec le portefaix,
La charbonnière et la Marquise
Concourent ensemble au succès
De cette superbe entreprise.
Nos petits maîtres élégants

Et vous aussi, femmes charmantes,
Avec petits pierrots[1] galants,
Vos chapeaux, vos plumes flottantes,
On vous voit bêcher, piocher,
Traîner camions et brouettes.
Ce travail peut vous attacher
Au point d'oublier vos toilettes ! *(bis)*

Les abbés auprès des soldats,
Et les moines, avec les filles,
Semblent, se tenant par le bras,
Réunir toutes les familles.
La marche est au son du tambour ;
Pluie ou vent n'y font point
                              [d'obstacle :
Non, jamais la ville et la cour
N'offrit un si charmant spectacle.
Dans les éclats de leur gaieté

41

Ils vont, chantant la chansonnette,
La liberté, l'égalité,
Nos députés, et La Fayette ! *(bis)*

L'aristocrate frémira,
Qu'il vienne nous troubler, s'il ose !
A ses dépens, il apprendra
Qu'un peuple libre est quelque
[chose.
Quand il entendra le serment
De tout un peuple et du monarque,
Sur son front pâle, en ce moment
De l'effroi, on verra la marque.
Pourquoi trembler ? Ah ! calme-toi,
Viens servir avec assurance

La Nation, la Loi, le Roi,
Ou bien, abandonne la France. *(bis)*

Patrie, élevons ton autel
Sur les pierres de la Bastille
Comme un monument éternel
Où le bonheur des Français brille.
Venez de tous les lieux divers
Que renferme ce grand empire,
Donner aux yeux de l'Univers
L'exemple à tout ce qui respire !
Que par la paix, et l'union,
Tout étranger soit notre frère,
Et que la Fédération
S'étende par toute la terre. *(bis)*

---

1. « Les pierrots étaient des petits caracots fort à la mode » (note de Dumersan).

AUX BONS CITOYENS, TRAVAILLEURS DU CHAMP-DE-MARS

Paroles de Déduit
Sur l'air : « Au coin du feu »

Déduit, « auteur patriote » de nombreuses chansons révolutionnaires, ne fut pas en reste pour la Fédération. Son texte mêle admirablement des souvenirs d'opéra — « Partons... », pastiche du fameux « Marchons » des défilés de la scène lyrique —, des souvenirs de la galanterie chansonnière — « sexe aimable », « Cythère » — à une coloration féministe nouvelle que n'aurait pas désavouée Olympe de Gouges, « autrice » de la Déclaration des droits de la femme. Devenue « terrassière », la femme se fait l'égale de l'homme.

SOURCE : *Révolutions lyriques*, Paris, 1790 (Pierre 322). Musique : Capelle 47 ; air ancien, repris en vaudeville sous l'Ancien Régime ; par exemple, dans *Les Vendangeurs* de Piis et Barré en 1780.

Allegro

Partons prendre la pelle,
La pioche et la bretelle
   Au Champ-de-Mars.
Citoyens, bon courage,
Pour avancer l'ouvrage
   Au Champ-de-Mars. *(ter)*

Point de délicatesse,
Le sujet intéresse,
   Au Champ-de-Mars ;
C'est la plus belle fête
Que notre zèle apprête
   Au Champ-de-Mars. *(ter)*

Ô le charmant ensemble !
Même ardeur nous rassemble
   Au Champ-de-Mars ;
Il n'est plus de Bastille ;
Il n'est qu'une famille
   Au Champ-de-Mars. *(ter)*

Bravo, sexe adorable,
Que vous êtes aimable
   Au Champ-de-Mars !

Beaucoup mieux qu'à Cythère ;
Vous remuez la terre
   Au Champ-de-Mars. *(ter)*

Que l'étranger admire
Tout ce qui nous inspire
   Au Champ-de-Mars :
Liberté de la France,
Voilà notre espérance
   Au Champ-de-Mars. *(ter)*

Que l'aristocratie
Crève de jalousie
   Au Champ-de-Mars :
Mais que l'on chante d'aise
Le bon roi Louis seize
   Au Champ-de-Mars. *(ter)*

J'ai fait ma chansonnette
En roulant ma brouette
   Au Champ-de-Mars :
Je l'offre à La Fayette,
Afin qu'on la répète
   Au Champ-de-Mars. *(ter)*

LE SERMENT
DE LA CONFÉDÉRATION
OU L'HOMMAGE
À LA LIBERTÉ FRANÇAISE

« Par les Fédérés de Senlis »
Sur l'air : « Ce mouchoir, belle Raymonde »

Venus de toute la France, les Fédérés apportaient avec eux leurs chants. Les trois « envois » de ce « Serment » unanimiste correspondent à l'une des illusions de l'époque : une monarchie populaire et nationale.

Source : *Révolutions lyriques*, Paris, 1790 (Pierre 323). Musique : Capelle 74 ; air de F.G. Ducray-Duminil pour une chanson de Charles Collé.

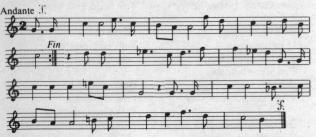

Citoyens que rien n'arrête
Dans le cours de vos exploits,
Quand votre bonheur s'apprête,
Prêtez l'oreille à ma voix :
Rempli d'une noble audace,
Fier de ma témérité,
Dédaignant faveurs et place,
Je chante la liberté.

En vain l'aristocratie
De ses venins malfaisants
Voudrait perdre la patrie :
Ses efforts sont impuissants.
Amis, citoyens, nos frères

Vengeurs de la liberté,
Puissions-nous purger la terre
De ce monstre détesté.

AU ROI

Roi chéri que je révère,
Digne objet de notre amour,
Permets qu'un peuple de frères
T'offrent leurs vœux tour à tour.
De cette union parfaite
Naît la douce égalité,
Et chacun de nous répète :
Vivons pour la liberté !

A NOS DÉPUTÉS	SERMENT CIVIQUE
Ô vous, dieux de la patrie !	Jurons tous d'être fidèles
Bienfaisants législateurs,	Aux lois, à la Nation ;
De la loi presque flétrie	Au roi qui règne par elles,
Puissants régénérateurs ;	A la constitution ;
Par votre zèle intrépide	Qu'enfin notre espoir se fonde,
L'homme a recouvré ses droits,	Et que notre liberté,
Et la vertu qui vous guide	Donnant un exemple au monde,
Fait l'honneur du nom françois.	Passe à la postérité.

AH ! ÇA IRA !

« Dictum populaire » par Ladré
Sur l'air du Carillon national

Le *Ah ! ça ira !* est l'un des plus célèbres chants de la
Révolution française : en 1796, le Directoire décida de le
faire donner dans les théâtres au commencement de chaque
représentation ; joué par la musique des armées, il conduisit
les troupes de la République à la victoire. Pourtant, son
origine fut longtemps mystérieuse, de même que ses auteurs.
A la fin du printemps de 1790, un certain Bécourt, ancien
musicien du théâtre de Beaujolais, composa une « contre-
danse » — air à danser — sur laquelle un parolier révolutionnaire, Ladré, adapta des vers commençant par une des
réflexions favorites de Benjamin Franklin (« Ça ira ! »),
coqueluche parisienne de la Révolution américaine. Les
travaux de la fête de la Fédération, en juillet 1790, se firent
au rythme de ce chant entraînant, dont les compléments, les
pastiches et les parodies se multiplièrent rapidement. Chanson de concorde nationale annonçant la Confédération, éloge
du grand fédérateur, La Fayette, le « Ah ! ça ira ! » évolua
: les allusions flatteuses au héros de l'Amérique et de la Garde
nationale disparurent, et l'hymne rassembleur devint une
chanson qui appelait à la violence révolutionnaire. De cette
dernière version, — « les aristocrates à la lanterne » —, on
ne retiendra bientôt, sous la Terreur, que l'appel à la vigilance
par le « rasoir national ».

SOURCE : *Révolutions lyriques*, Paris, Frère, 1790 (Pierre 315). Musique : « Le Carillon national par Bécourt » (Paris, Frère, 1790), air pour deux violons.

Ah ! ça ira, ça ira, ça ira,
Le peuple en ce jour sans cesse
Ah ! ça ira, ça ira, ça ira,   [répète :
Malgré les mutins tout réussira !

Nos ennemis confus en restent là,
Et nous allons chanter Alléluia !
Ah ! ça ira, ça ira, ça ira,
Quand Boileau[1] jadis du clergé parla
Comme un prophète, il a prédit cela,
En chantant ma chansonnette,
Avec plaisir on dira :

Ah ! ça ira, ça ira, ça ira,
Malgré les mutins, tout réussira.

Ah ! ça ira, ça ira, ça ira,
Suivant la maxime de l'Évangile,
Ah ! ça ira, ça ira, ça ira,
Du législateur tout s'accomplira :

Celui qui s'élève, on l'abaissera.
Celui qui s'abaisse, on l'élèvera.
Ah ! ça ira, ça ira, ça ira,
Le vrai catéchisme nous instruira
Et l'affreux fanatisme s'éteindra ;

46

Pour être à la loi docile
Tout Français s'exercera,
Ah ! ça ira, ça ira, ça ira,
Malgré les mutins tout réussira.

Ah ! ça ira, ça ira, ça ira,
Pierret[2] et Margot chantent à la
                  [guinguette,
Ah ! ça ira, ça ira, ça ira,
Réjouissons-nous, le bon temps
                  [viendra.

Le peuple français jadis à quia[3],
L'aristocratie dit : « Mea culpa ».
Ah ! ça ira, ça ira, ça ira,
Le clergé regrette le bien qu'il a,
Par justice la nation l'aura,
Par le prudent La Fayette[4],
Tout trouble s'apaisera,
Ah ! ça ira, ça ira, ça ira,
Malgré les mutins tout réussira.

Ah ! ça ira, ça ira, ça ira,
Par les flambeaux de l'auguste
                  [assemblée,
Ah ! ça ira, ça ira, ça ira,
Le peuple armé toujours se gardera,

Le vrai d'avec le faux l'on connaîtra,
Le citoyen pour le bien soutiendra,
Ah ! ça ira, ça ira, ça ira,
Quand l'aristocrate protestera,
Le bon citoyen, au nez lui rira,
Sans avoir l'âme troublée
Toujours le plus fort sera,
Ah ! ça ira, ça ira, ça ira,
Malgré les mutins tout réussira.

Ah ! ça ira, ça ira, ça ira,
Petits comme grands sont soldats
                  [dans l'âme,
Ah ! ça ira, ça ira, ça ira,
Pendant la guerre aucun ne trahira.

Avec cœur tout bon Français
                  [combattra,
S'il voit du louche, hardiment
                  [parlera.
Ah ! ça ira, ça ira, ça ira,
La Fayette dit[5] : « Vienne qui
                  [voudra. »
Le patriotisme leur répondra
Sans craindre ni feu ni flamme,
Le Français toujours vaincra,
Ah ! ça ira, ça ira, ça ira,
Malgré les mutins tout réussira.

---

1. L'abbé Boileau (1635-1716), frère du satirique, auteur d'ouvrages curieux dont une *Histoire des flagellants* (1700), où il critiquait l'usage des disciplines volontaires que s'imposent les pénitents. — 2. *Variante* : « Pierrot ». Pierrot, personnage traditionnel des parades françaises, ces pièces de théâtre à caractère populaire, où l'on retrouve aussi sa compagne Margot. — 3. Réduit au silence. — 4. *Variante* : « Par la force des baïonnettes ». — 5. *Variante* : « La Liberté dit ».

Couplets additionnels

Anonyme

Source : Paris, B.N., ms., n.a.fr. 6620, p. 30 (Pierre 317).

Ah ! ça ira, ça ira, ça ira,
Les aristocrates à la lanterne !

Ah ! ça ira, ça ira, ça ira,
Les aristocrates on les pendra !

Le despotisme expirera,
La liberté triomphera,
Ah ! ça ira, ça ira, ça ira,
Nous n'avons plus ni nobles, ni
Ah ! ça ira, ça ira, ça ira,   [prêtres,

L'égalité partout régnera.
L'esclave autrichien[1] le suivra,
Ah ! ça ira, ça ira, ça ira,
Et leur infernale clique
Au diable s'envolera. *(Refrain)*

---

1. Allusion à l'Autriche entrée en guerre contre la France.

AH ! ÇA IRA !

(Parodie)

Anonyme
Sur l'air du Carillon national

Une des plus amusantes parodies du *Ah ! ça ira !* en langage poissard, qui évoque le temps maussade qui présida à la fête de la Fédération. En ce jour béni d'unanimité nationale, la pluie faisait chanter.

SOURCE : « *Ah ! ça ira !*, couplets faits le matin du 14 juillet 1790, au Champ-de-Mars » (Paris, B.N., ms., n.a.fr. 6620, p. 28) (Pierre 316*).

Ah ! ça ira, ça ira, ça ira
En dépit d'z'aristocrat' et d'la pluie :
Ah ! ça ira, ça ira, ça ira,
Nous nous mouillerons, mais ça finira :
Ah ! ça tiendra, ça tiendra, ça tiendra,
On va trop bien l'nouer pour que ça s'délie :
Ah ! ça tiendra, ça tiendra, ça tiendra,
Et dans deux mille ans on s'en souviendra.

Comme on r'viendra, on r'viendra, on r'viendra
Couvrir d'son serment l'autel de la patrie !
Comme on r'viendra, on r'viendra, on r'viendra
Au diable donner quiconque l'enfreindra.
Ah ! ça ira, ça ira, ça ira
En dépit d'z'aristocrat' et de la pluie.
Ah ! ça ira, ça ira, ça ira,
Nous nous mouillons, mais ça finira.

LE CHANT DU 14 JUILLET

Hymne de Marie-Joseph Chénier
Musique de François-Joseph Gossec

A côté de la simple chanson qui affectait un caractère populaire et improvisé, même s'il n'en était rien, les fêtes de la Révolution suscitèrent des œuvres à l'ambition plus relevée, sinon mieux venue. Célèbre auteur de *Charles IX*, tragédie nationale et politique qui avait tenu l'affiche pendant l'automne 1789, Marie-Joseph de Chénier, frère aîné du poète André de Chénier, composa un hymne destiné à être lu dans les banquets qui suivirent la fête de la Fédération. D'abord mis en musique par un anonyme dont l'œuvre est perdue, il fut ensuite confié à Gossec, avec Méhul l'un des deux compositeurs officiels de la Révolution. La musique fut publiée en 1791 ; et l'hymne servit d'ouverture en janvier 1793 aux *Triomphes de la République*, divertissement patriotique représenté à l'Opéra de Paris. Les allusions érudites, le ton soutenu évoquent les « prologues » d'opéra de l'Ancien Régime ; la musique est écrite pour un chœur d'hommes à trois parties.

SOURCE : éd. J. Tiersot, 1899 (Pierre 6). Le *Chant* est tiré des 26 strophes de l'*Hymne pour la Fête de la Fédération* dont six seulement (les 8e, 9e, 23e à 26e) furent utilisées par Gossec.

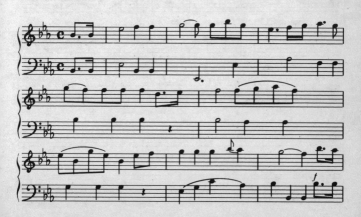

49

Dieu du peuple et des

Dieu du peuple et des

Dieu du peuple et des

rois, des ci - tés, des cam - pa - gnes, De Lu - ther, de ___ Cal -

rois, des ci - tés, des cam - pa - gnes, De Lu - ther, de ___ Cal -

rois, des ci - tés, des cam - pa - gnes, De Lu - ther, de Cal -

vin, des ___ enfants d'Isra - ël ___, Dieu que le

vin, des ___ enfants d'Isra - ël ___, Dieu

vin, des enfants d'Isra - ël, Dieu que le

Guèbre[1] a - do - re au pied de

que le Guèbre a do -

Guèbre a do - re au pied de

50

ses mon - ta - gnes, en invo-

- re en invo-

ses mon - ta - gnes, en invo-

quant l'astre du ___ ciel, en in - vo - quant l'astre du

quant l'astre du ciel, en in - vo - quant l'astre du

quant l'astre du ciel, en in - vo - quant l'astre du

ciel

ciel

ciel

I - ci sont ras - sem - blés, sous ton re - gard ___ im -

I - ci sont ras - sem - blés, sous ton re - gard im -

I - ci sont ras - sem - blés, sous ton re - gard im -

51

men - se, De l'em - pi - re ___ fran ___ çais les ___

men - se, De l'em - pi - re ___ fran - çais les

men - se, De l'em - pi - re fran ___ çais les

fils et les ___ sou - tiens, Célé - brant de - vant ___ toi leur bon-

fils et les ___ sou - tiens, Célé - brant de - vant toi leur bon-

fils et les sou - tiens, Célé - brant de - vant toi leur bon-

heur qui com - men - ce, égaux à leurs yeux comme aux

heur qui com - men - ce, égaux à leurs yeux comme aux

heur qui com - men - ce, égaux à leurs yeux comme aux

tiens

tiens

tiens

1. Allusion aux guèbres. Nom donné par les musulmans aux Perses qui, après la conquête arabe (VIIe siècle), restèrent fidèles au zoroastrisme.

VOILA LE MOT : J'M'EN F...

Anonyme
Sur l'air : « Tiens, voilà ma pipe, aussi mon briquet »

A l'inverse des productions d'unanimisme national favorisées par la fête de la Fédération, d'autres manifestations chansonnières témoignent d'un style plus brutal, moins officiel. Mais c'est encore dans le langage poissard que s'exprime ce « père Duchêne », personnage emblématique de la Révolution, que toutes les factions utilisèrent.

SOURCE : « *Voilà le mot : j'm'en f...* Je suis libre ou le Courage du père Duchêne », 2 p. gravées, s.l.n.d., 1790 (Pierre 325). Musique : Capelle 325 ; air ancien de l'abbé Louis Mangenot (1694-1768), repris en vaudeville sous l'Ancien Régime (Pannard, etc.).

Allegretto

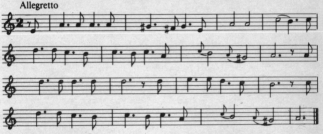

Fier aristocrate,	Du père Duchêne
Si tu veux jaser,	Redoute le bras.
Sur ta mine plate	Morbleu dans sa haine
Je peux souffleter	C'est un fier-à-bras !
J'avons du courage	Tiens, si tu t'opposes
Et la Liberté.	A notre bonheur,
F..., deviens sage,	C'est bien autre chose
Mets bas la fierté !	Jean-Bart[2] te fout malheur
De la tyrannie	Je n'vois dans ta ligue
Tu vantes l'équité	Que de noirs complots.
Tu mets ton génie	Dans la seule intrigue
A louer la cruauté	Brillent tes suppôts
Oui, nom d'un tonnerre.	Change de conduite,
B...[1] de mutin,	Sacré chérubin
Tu mordras la poussière	Ou sauve-toi bien vite
Ou j'perdrai mon latin	Avec ta catin

53

C'est dans la concorde
Qu'un bon citoyen
Dissipe la horde
Du chien de vaurien
Une contre-ligue
De l'homme de bien
Dévoile l'intrigue
Et la réduit à rien.

Depuis qu'à c'te fête
J'ons fait le serment,
J'avons dans la tête
Du feu bougrement
J'portons la patrie
Au fond de not' cœur
Foutre de la vie
Quand elle est sans honneur.

---

1. Bougre. Injure faisant allusion à des mœurs contre nature. D'ailleurs le mot et son dérivé adverbial étaient emblématiques du vocabulaire du père Duchêne. — 2. Formation populaire et obscène autour du prénom Jean. On la trouve souvent dans les parades théâtrales au XVIIIᵉ siècle : Jean Fonce, etc.

1791

LES DIX-HUIT FRANCS

Paroles de François Marchant
Sur l'air : « Chansons, chansons »

Chacun des membres de la Constituante recevait dix-huit francs d'indemnité quotidienne. Avec le parlement naît un anti-parlementarisme promis à un bel avenir en France. Un ouvrier parisien gagnait environ un franc (vingt sous) en 1789. Mais la critique ne vient pas ici de gauche, elle utilise un vieux fonds d'esprit frondeur contre les corps intermédiaires — naguère fermiers généraux ou gabelous —, aujourd'hui représentants du peuple, assimilés à une ménagerie coûteuse — utilisation de certains patronymes réels : Cochon (de Lapparent), futur ministre de la Police, et François-Victor La Beste, député de Reims. La presse et les publicistes contre-révolutionnaires ont rapidement compris l'efficacité de la chanson : Marchant, auteur des *Sabbats jacobites*, est un des plus actifs chansonniers du parti du refus ; on le retrouvera.

SOURCE : *Les Sabbats jacobites*, Paris, 1791 (Pierre 514**). Musique : Capelle 90 ; air tiré du *Revenant* de Valois d'Orville, représenté en 1732.

Pour les dix-huit francs qu'on lui
[donne,
Plus d'un député déraisonne
      A tous moments ;
Dans ce sénat que va-t-il faire ?
Il va gagner à l'ordinaire
      Ses *dix-huit francs*.

Pour dix-huit francs on peut en
[France
Devenir homme d'importance
      Sans grands talents ;
On peut tout faire, on peut tout dire,
Et même détruire un Empire
      Pour *dix-huit francs*.

Pour dix-huit francs un Robespierre
Ne cesse de jeter la pierre
      Aux rois, aux grands :
Des traits malins qu'on lui décoche,
Il s'en rit, pourvu qu'il empoche
      Ses *dix-huit francs*.

Pour dix-huit francs, *Cochon,*
      [*Labête* ;
Approuvent du cul, de la tête
      Leurs concurrents :
S'il ne disent rien, c'est pour cause :
Car il faut faire quelque chose
      Pour *dix-huit francs*.

Par le secours de la canaille,
A-t-on commis, même à Versailles,
      Forfaits criants,
Mons[1] Chabroud vous blanchit bien
      [vite[2] ;
Mais il ne vous en tient pas quitte
      Pour *dix-huit francs*.

S'il faut dans notre aréopage,
Faire entendre suivant l'usage
      Des jurements ;
S'il faut crier à perdre haleine,
Je ferai tout cela sans peine
      Pour *dix-huit francs*.

---

1. Forme négligée et réduite de : Monsieur. — 2. Rapporteur sur les journées d'octobre à la Constituante, ce député du Dauphiné fut traité de « blanchisseuse » de Mirabeau par la presse royaliste.

 # LE GRAND PROJET

Paroles de François Marchant
Sur l'air : « Le saint craignant de pécher »

Cette nouvelle chanson de Marchant vaut surtout par sa vivacité et son refrain : elle eut du succès. Il s'agit d'un simple jeu de massacre dont sont victimes l'homme à projets, Condorcet, et le néo-tyran, Danton. La chute sur la communauté des femmes — fantasme de la chanson libertine d'Ancien Régime — ne doit pas être prise au sérieux.

Marchant célébrera de la même manière (p. 62) les droits de la femme.

SOURCE : *Les Sabbats jacobites*, Paris, 1791 (Pierre 536*). Musique : Capelle 355 ; air ancien, souvent employé en vaudeville (Collé, etc.).

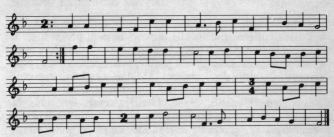

Un soir, disait Condorcet	On porte aux cieux un héros
A plus d'un confrère,	Tant qu'il est utile,
J'ai dans la tête un projet	On jouit de ses travaux,
Qui pourra vous plaire,	Ensuite, on l'exile,
Il nous faut, mes chers amis,	Cela n'est pas trop décent,
Établir en ce pays	Mais c'est l'usage pourtant
Une ré ré ré	D'une ré ré ré
Une pu pu pu	D'une pu pu pu
Une ré	D'une ré
Une pu	D'une pu
Une république	D'une république
D'une forme unique.	Bien démocratique.

Danton voulait de Louis,	Sans craindre d'un importun
Porter la couronne,	Les discours infâmes,
Mais bientôt à mes avis,	Nous mettrons tout en commun
Danton s'abandonne.	Jusques à nos femmes,
Car il pense comme moi,	Si nous agissons ainsi,
Que rien ne vaut mieux, ma foi,	C'est pour mieux saisir l'esprit
Qu'une ré ré ré	D'une ré ré ré
Qu'une pu pu pu	D'une pu pu pu
Qu'une ré	D'une ré
Qu'une pu	D'une pu
Qu'une république	D'une république
Bien démocratique.	Bien démocratique.

DIALOGUE PLAISANT

Anonyme
Sur l'air de L'Enfant prodigue

Cette saynette à la Greuze, sur l'air de *L'Enfant prodigue*, est assez curieuse puisqu'elle oppose un père progressiste à un fils réactionnaire. Certes, le contraste entre le Tiers actif et les privilégiés, sangsues du peuple, existe depuis longtemps dans la littérature des Lumières (Sedaine, *Le Philosophe sans le savoir*; Coyer, *La Noblesse commerçante*) ou dans les Beaux-Arts (Hogarth, Hallé, Greuze), mais ici, dans la tradition classique et chrétienne (!), la sagesse du vieillard en remontre à la légèreté de la jeunesse. Le jeune prêtre se dit clairement « réfractaire » (serment exigé depuis janvier 1791), mais le texte n'a pas la violence qu'on trouvera au cours de la Terreur contre le clergé. C'est pourquoi, avec notre source, nous datons la chanson de 1791, et non de 1793, ainsi que le fait Constant Pierre, le bibliographe le plus averti de la chanson révolutionnaire.

SOURCE : « Dialogue plaisant entre un maître savetier et son fils abbé, célèbre aristocrate (1791) », *Collection de pièces importantes relatives à la Révolution française*, Paris, 1821 (Pierre 930). Musique : Capelle 332 ; air ancien. *Complainte de l'enfant prodigue* : « Je suis enfin résolu/D'être mon maître absolu » (Capelle, p. 237).

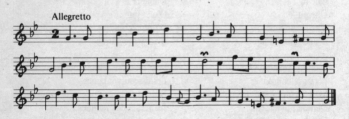

LE PÈRE

Qui t'amène en ma maison,
Fils indigne de mon nom ?
N'as-tu pas trahi ton père,
Tes parents et nos amis ?
Fuis, évite ma colère,
De chez moi je te bannis.

L'ABBÉ

Je suis membre du clergé,
Et j'étais bien partagé.
Pour le salut de la France
Il fallait rendre mes biens ;
Pouvais-je mettre en balance
Vos intérêts et les miens ?

LE PÈRE

Ô sais-tu bien, scélérat,
Renier le tiers état ?
Ne t'ai-je pas donné l'être ?
Si tu savais mon métier,
Au lieu d'être mauvais prêtre,
Tu serais bon savetier.

L'ABBÉ

A vous uni par le sang,
Mais désuni par le rang,
Sachant qu'au nouveau régime
Je perdrais mes revenus,
Pouvait-on me faire un crime
De protéger les abus ?

LE PÈRE

Aristocrate insolent,
Non, tu n'es plus mon enfant ;
Pour conserver ta richesse
Tu ruinerais ton pays :
Va consumer ta mollesse
Chez les filles de Paris.

L'ABBÉ

Apaisez votre courroux ;
Souffrez qu'un fils à genoux
Réclame votre clémence,
Ayez pitié de mon sort ;
Si je cède à l'évidence
C'est que je suis le moins fort.

LA SUPPRESSION DES BARRIÈRES

Anonyme
Sur l'air : « Au coin du feu »

Symboles, autant que la Bastille, de l'Ancien Régime, les barrières d'octroi qui permettaient de taxer les marchandises entrant dans Paris furent incendiées dès la nuit du 12 au 13 juillet 1789, en prologue à d'autres assauts populaires. La réforme fiscale amena la « suppression des barrières » — rétablies par le Directoire en 1797... Un décret de la Constituante (2 mars 1791) décida que cette réforme prendrait effet en mai. De nombreuses chansons saluèrent l'événement.

SOURCE : « La suppression des barrières ou le Mai des Français, chanson populaire », *Poésies révolutionnaires*, Paris, 1821 (Pierre 510**). Musique : Capelle 47 ; air ancien, déjà employé en vaudeville théâtral (*Les Vendangeurs* de Piis et Barré, 1780) et signalé dans une chanson de la Fédération en 1790 (p. 42).

Notre Sénat[1] prononce,
Et moi je vous annonce
    Qu'au mois de mai,
Dans les villes de France,
On verra l'abondance
    Au mois de mai.

Notre auguste assemblée
Supprime toute entrée
    Au mois de mai ;
Vous, commis des barrières,
Allez sur les frontières
    Au mois de mai.

Réformez votre sonde[2],
Ne fouillez plus le monde
    Au mois de mai.
Pourvoyez-vous d'asile :
Tout peut entrer en ville
    Au mois de mai.

Ce que la loi commande
Éteint la contrebande
    Au mois de mai.

Nos projets réussissent :
Que tous se réjouissent
    Au mois de mai.

Les paquets, les valises,
Toutes les marchandises,
    Au mois de mai,
Entreront sans rien craindre :
Rien ne peut nous contraindre
    Au mois de mai.

Voyant nos réussites,
Apprêtons nos marmites
    Au mois de mai :
Au pot mettons la poule,
Et que le fricot[3] roule
    Au mois de mai.

Que l'ami La Tulipe
Fume gaiement sa pipe
    Au mois de mai ;
Que le vin de Bourgogne
Rougisse notre trogne
    Au mois de mai[4].

---

1. L'Assemblée nationale. — **2.** Les employés d'octroi utilisaient une
« sonde » pour vérifier les marchandises. — **3.** Terme populaire pour :
nourriture. — **4.** Tabacs et vins étaient taxés à l'entrée de Paris.

LES DROITS DE L'HOMME
Vaudeville constitutionnel

*Paroles de François Marchant
Sur l'air de* La Croisée

L'infatigable Marchant avait célébré la fin de la Constituante par la mise en vaudeville de la Constitution de
septembre 1791. Il s'attaqua aussi à la Déclaration des droits

de l'homme qui en forme le préambule, sans oublier ceux de la femme. Le dernier couplet évoque les mouchoirs réalisés en Allemagne sur lesquels on imprimait la Déclaration : objet doublement utile.

Source : *La Constitution en vaudeville*, Paris, « chez les Libraires royalistes », 1792 (Pierre 545*). Musique : Capelle 678 ; chanson de Ducray-Duminil.

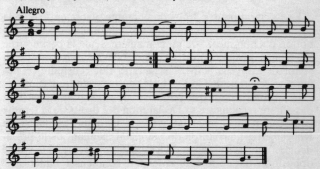

Par le dieu d'amour inspiré,
J'ai chanté gentilles maîtresses,
Et bientôt de gloire enivré,
Districts[1], j'ai chanté vos prouesses.
Ma Muse enfin change de ton,
Mais, amis, vous allez voir comme
Elle va dans cette chanson
   Chanter les *droits de l'homme.*

Sur ces droits-ci plus d'un pédant
A débité mainte sottise ;
Si l'un écrit, si l'autre pend,
Si celui-là nous dévalise ;
Ils ne veulent point par plaisir
De nos maux augmenter la somme,
Mais c'est qu'ils pensent tous agir
   Selon les *droits de l'homme.*

Pour ces droits que l'on n'entend pas,
Chaque jour il naît des grabuges ;
Ah ! terminons ces vains débats,
En prenant nos femmes pour juges :
Alors du bonheur le plus doux
On jouira dans le royaume ;
Les femmes savent mieux que nous
   Juger des *droits de l'homme*[2].

Ces droits que fit notre Sénat[3]
Pour le bonheur de ma patrie,
Vont prêter un nouvel éclat
Aux mouchoirs de la Germanie.
Grâce à ce bon peuple allemand,
On pourra de Berlin à Rome
Se moucher fort commodément
   Avec les *droits de l'homme.*

---

  1. Nouvelles divisions administratives. — **2.** Allusion obscène jouant sur le sens équivoque du « droit » (sexe) de l'homme. — **3.** Voir la chanson précédente, note 1.

LES DROITS DE LA FEMME
Vaudeville constitutionnel

Paroles de François Marchant
Sur l'air : « Du joli réservoir d'amour »

La Déclaration des droits de l'homme placée en tête de la Constitution jouait consciemment ou inconsciemment sur la notion d'« homme » : de toute manière, seule la partie virile du peuple avait le droit de vote. N'avaient pas accès au statut de citoyens actifs, les pauvres (loi censitaire) et les femmes. Olympe de Gouges lutta contre ce statut. Pasionaria extravagante autant que publiciste de génie, elle ne parvint pas à faire reconnaître sa Déclaration des droits de la femme et termina sur l'échafaud grâce à la haute vigilance de Robespierre. La chanson de Marchant, pendant de la précédente, n'est pas spécialement féministe ; elle reprend la vieille opposition nature-loi qui entendait compenser l'infériorité légale de la femme par sa prééminence naturelle (source de vie, instrument de séduction), mais elle signale — en creux — une des graves lacunes de la réflexion révolutionnaire.

SOURCE : *La Constitution en vaudeville*, Paris, 1792 (Pierre 545**). Musique : inconnue.

Pour mieux faire admirer ma voix
  Des oreilles civiques,
De l'homme j'ai chanté les droits
  En vers patriotiques ;
Mais ma faible Muse bientôt
  A dû changer de gamme,
Elle va dire un petit mot
  Sur les *droits de la femme.*

Nous rendre toujours plus épris ;
  En fleurs changer nos chaînes,
Exercer sur nos cœurs soumis
  Pouvoir de souveraine ;
Toujours nous plaire et nous
              [charmer,

Dès qu'amour nous enflamme,
Voilà ce qu'il nous fait nommer
  Les beaux *droits de la femme.*

Aux femmes qui donna ces droits ?
  La nature elle-même.
Des femmes nature fit choix
  Pour notre bien suprême.
Contre ces droits, je le sais bien,
  Un mari ne déclame
Que dès l'instant qu'il ne peut rien
  Sur les *droits de la femme.*

Notre Sénat[1] de tout fait rien,
  Mais il nous régénère ;

Il régénère notre bien
  Pour nous tirer d'affaire ;
Et craignant peu de s'attirer
  Bonne ou froide épigramme,
Il veut chez nous régénérer
  Jusqu'aux *droits de la femme.*

Pour mieux servir la Nation,
  L'auguste aréopage
Va donner plus d'extension
  A son nouvel ouvrage.
Bientôt on verra parmi nous
  Une volage dame

Vingt fois par an changer d'époux,
  Grâce aux *droits de la femme.*

Tous sont égaux, disent les lois,
  Le beau sexe, au contraire,
Dit que chaque homme sur ses
                                 [droits
  Du plus au moins diffère,
Et contre nos droits sans raison
  On l'entend qui déclame ;
Mais qui peut bien connaître à fond
  Tous les *droits de la femme ?*

---

1. Voir les notes des deux chansons précédentes.

COUPLETS EN L'HONNEUR
DE JEAN-JACQUES ROUSSEAU

Paroles de Lefèvre
Sur l'air : « Ce fut par la faute du sort »

Le 14 juillet 1791, une nouvelle fête de la Fédération fut organisée au Champ-de-Mars. Trois jours auparavant, les cendres de Voltaire avaient été transférées au Panthéon. Mais plus que le philosophe de Ferney, et même que Montesquieu, inspirateur principal de la Constituante, Rousseau représentait par excellence le précurseur politique des Lumières. La chanson de Lefèvre interprétée devant le buste du philosophe installé à l'emplacement de la Bastille est plus qu'un hommage, c'est l'annonce d'une nouvelle orientation de la Révolution. Dès 1791, une pétition fut présentée à l'Assemblée pour donner les honneurs du Panthéon à Jean-Jacques. Les clubs à son nom se multiplièrent à Paris et en province — « Société populaire du *Contrat social* », « Club révolutionnaire des amis de Jean-Jacques ». Le 14 avril

1794, en pleine Terreur, la Convention décida, sur proposition de Robespierre, le transfert au Panthéon du Citoyen de Genève ; il y fut accompagné (11 octobre 1794) sur une musique de Gossec pour l'*Hymne à Jean-Jacques Rousseau* de Marie-Joseph Chénier, poète officiel de la Montagne. Les strophes de Lefèvre n'étaient donc que l'ébauche d'un culte qui s'amplifia avec la radicalisation de la Révolution.

SOURCE : « Couplets chantés sur les débris de la Bastille en l'honneur de Jean-Jacques Rousseau et devant son buste », *Almanach des Muses*, 1792 (Pierre 513). Musique : Capelle 71 ; air tiré de *Florine*, comédie à ariettes de Marc-Antoine Desaugiers représentée en 1780.

Tandis que de la liberté,
Paris célèbre la conquête,
D'un ami de l'humanité
Que ce jour soit aussi la fête !
Rousseau nous révéla nos droits :
C'est à sa profonde éloquence
Que l'on doit le trésor des lois
Dont on vient d'enrichir la France.

Du feu pur de l'humanité
Animant toujours son langage,
Pour le peuple, persécuté,
Rousseau déploya son courage.

C'est pour lui qu'il se déclara ;
Et sorti de son esclavage,
Au grand homme qui l'en tira
Ce peuple entier doit son hommage.

Que d'autres flattent les guerriers ;
Nous révérons aussi leur gloire :
Mais le sang qui teint leurs lauriers
Tache trop souvent leur mémoire.
Rousseau par de sanglants exploits
N'a point affligé la nature :
Il fut l'apôtre de ses lois,
Et comme elle sa gloire est pure.

L'erreur dans de vieux préjugés
Avait plongé la France entière ;
Rousseau nous en a dégagés
En nous prodiguant la lumière :
Mais, effrayé de ses leçons,
Le monstre de la tyrannie,
Dans les cachots que nous foulons
Voulut engloutir son génie.

Ces cachots, tombés sous nos coups,
De leurs débris jonchent la terre :
Oh ! que ne peut-il avec nous
Les voir couchés dans la poussière !
Ce lieu détruit, homme immortel,
Te rend un éclatant hommage ;
Et ses ruines sont l'autel
Où nous révérons ton image.

LES AH ! EH ! HI ! OH ! HU !
OU LES CINQ EXCLAMATIONS
JACOBITES

Paroles de François Marchant
Sur l'air : « Dans Paris la grand'ville »

Les Clubs sont un élément essentiel de la mécanique révolutionnaire. *Les Sabbats jacobites* de Marchant en donnent une image burlesque, inversée de celle du « complot aristocratique » qui fonctionne dans les milieux sans-culottes. Bien rythmée, cette chanson passe en revue quelques-unes des gloires des jacobins — Robespierre, Marat, les frères Lameth, le journaliste Gorsas, le juriste Chabroud —, jeu de massacre habituel au chansonnier royaliste. Le « timbre » choisi est un des plus célèbres airs « monarchistes » de l'Ancien Régime : *La Bourbonnaise*.

SOURCE : *Les Sabbats jacobites*, Paris, 1791 (Pierre 485*). Musique : Capelle 671 ; air ancien.

Messieurs, allons bien vite
Au Sénat jacobite, *(bis)*
C'est là que l'on médite
Le bonheur de l'État.
Ah ah ah ah !
Le bonheur de l'État
Nous verrons Robespierre,
Et Menou, son confrère,
Éloquemment y faire
L'éloge de Carra.
Ah ah ah ah ah !
Éloquemment y faire }
L'éloge de Carra. } *(bis)*

D'Avignon ou bien d'Arles,
Lorsqu'un Lameth y parle, *(bis)*
Soit Alexandre ou Charles,
On est tout transporté.
Eh eh eh eh !
On est tout transporté.
Quand Gorsas s'y présente,
Jamais on ne plaisante,
Pas même lorsqu'il vante
Sa rare probité.

Eh eh eh eh eh !
Pas même lorsqu'il vante }
Sa rare probité. } *(bis)*

Dans ce lieu respectable,
Le plus fameux coupable, *(bis)*
Lorsqu'il a bonne table
Se fait plus d'un ami.
Hi hi hi hi !
Se fait plus d'un ami.
Chabroud à la justice,
Vous ravit sans malice.
Dites qu'il vous blanchisse[1],
Et vous serez blanchi.
Hi hi hi hi hi !
Dites qu'il vous blanchisse, }
Et vous serez blanchi. } *(bis)*

Maint auteur que l'on cite,
S'il n'est point Jacobite, *(bis)*
Malgré tout son mérite
Ne peut être qu'un sot.
Oh oh oh oh !
Ne peut être qu'un sot.

Il n'est qu'une âme abjecte
Qui craint et qui suspecte
Un Sénat qu'on respecte,
Dès qu'on sait ce qu'il vaut.
Oh oh oh oh oh !
Un Sénat qu'on respecte,
Dès qu'on sait ce qu'il vaut. } *(bis)*

Ce Sénat qu'on redoute,
Dont on veut la déroute, *(bis)*
On l'aimera sans doute

Dès qu'il ne sera plus.
Hu hu hu hu !
Dès qu'il ne sera plus.
Il faut de sa mémoire
Décorer notre histoire,
Et mettre notre gloire
A chanter ses vertus.
Hu hu hu hu hu !
Et mettre notre gloire
A chanter ses vertus ! } *(bis)*

---

1. Voir p. 56, note 2 de *Les dix-huit francs*, du même auteur.

CHANSON DÉMOCRATIQUE

« *Par un Ami du temps passé* »
Sur l'air des Dettes (« *On doit soixante mille francs* »)

A la « chanson patriotique » de Piis sur la Fédération (p. 39), répond sur le même air, cette « chanson démocratique », mais très réactionnaire. L'évocation du « temps passé » marque la naissance d'un mythe du « XVIIIᵉ siècle » qui fleurira dans les décennies suivantes, un siècle « Pompadour », « Watteau », « Boucher » ou « Fragonard », sur lequel, par les frères Goncourt, nous vivons encore.

SOURCE : *Étrennes au beau-sexe*, 1792 : « Recueil de tout ce qui a paru de mieux en chansons constitutionnelles pendant l'année 1791 » (Pierre 581). Musique : Capelle 428, voir p. 39.

Le Français, si charmant jadis,
A fait fuir les jeux et les ris,
    C'est ce qui me désole ;
Mais il est inconstant, léger,
En un moment il peut changer,
    C'est ce qui me console.

Que d'Orléans quitte Albion[1]
Sans nous en dire la raison,
    C'est ce qui me désole ;

Mais bientôt il aura raison
De retourner en Albion,
    C'est ce qui me console.

Nous n'avons plus de grands auteurs
Pour célébrer nos sénateurs,
    C'est ce qui me désole ;
Mais il nous reste Audoin, Augnat,
Garat, Gorsas, Carra, Marat[2],
    C'est ce qui me console.

Ainsi qu'un criminel d'État,
On veut traiter l'ami Marat[3],
  C'est ce qui me désole ;
Mais il ne forge des écrits
Qu'afin de ne point faire pis,
  C'est ce qui me console.

On nous dit que les ennemis
Veulent entrer dans ce pays,
  C'est ce qui me désole ;
Mais nous avons pour défenseurs
De la Bastille les vainqueurs,
  C'est ce qui me console.

Tous les jours de nouveaux écrits
L'on est inondé dans Paris,
  C'est ce qui me désole.

De ces écrits qu'on ne lit point,
On peut se servir au besoin,
  C'est ce qui me console.

Mon pied, de boucles dégagé,
Me semble par trop allongé ;
  C'est ce qui me désole :
Mais la goutte ne pourra plus
M'en rendre les muscles perclus ;
  C'est ce qui me console.

On se plaint que la liberté
Ne vient qu'avec timidité ;
  C'est ce qui nous désole ;
Mais déjà, pour aller partout,
J'ai le pied libre, et c'est beaucoup ;
  C'est ce qui me console.

---

1. Parti pour l'Angleterre après les journées d'Octobre, Philippe Égalité revint à Paris en juillet 1790. — 2. Écrivains et journalistes nés avec la Révolution. — 3. Créateur en septembre 1789 de *L'Ami du Peuple*, Marat avait été emprisonné et avait dû gagner Londres dès les mois suivants, tant la violence de sa prose indisposait une Révolution encore légaliste. Il s'enfuit de nouveau en Angleterre à la fin de 1791.

LES VOYAGES DU BONNET ROUGE

Paroles de Salle
Sur l'air : « C'est ce qui me console »

De même que le pantalon « populaire » avait remplacé la culotte « aristocratique », le bonnet rouge, inspiré du bonnet phrygien des esclaves de l'Antiquité, et surtout de celui que portaient alors les galériens, apparut au cours de l'été 1791 : il symbolisait la fraternité contre la servitude. *Le Patriote français* de Brissot en fit la publicité. La mode s'en répandit largement au-delà des milieux sans-culottes ; certaines élégantes s'en coiffèrent ; des prêtres célébrèrent la messe avec ce couvre-chef ; Marat y ajouta des sabots pour paraître à l'Assemblée ; les « tricoteuses », abonnées au spectacle de la guillotine, s'en protégèrent crânement des courants d'air. La chanson de Salle évoque les « voyages » du bonnet phrygien, « emblème du civisme et de la liberté » (décret du 18 septembre 1793), dont Thermidor sonna le glas et que les drapeaux de la République répandirent avec les armées sur les champs de bataille de l'Europe.

Source : *Nouveau Chansonnier patriote*, Lille, Paris, an II (Pierre 760). Air : Capelle 428 ; air des *Dettes* de Champein, voir p. 39.

Le bonnet de la liberté
Brille et voyage avec fierté,
    En dépit des despotes.
Sa course embrasse l'univers :
Partout il va briser les fers
    Des braves *sans-culottes*.

Déjà ce signe rédempteur
Imprime une juste terreur
    Sur le front des despotes.
Ils s'arment en vain contre lui !
Les sceptres tombent aujourd'hui
    Devant les *sans-culottes*.

A Rome, à Londres, à Berlin,
A Vienne, à Madrid, à Turin,
    On voit les fiers despotes,

Sur ce bonnet, en lettres d'or,
Lire tous l'arrêt de leur mort,
    Au gré des *sans-culottes*.

L'esclave, enfant de Mahomet,
Libre en recevant ce bonnet,
    Va frapper ses despotes.
Déjà sous les yeux du sultan
Il bénit le nouveau turban
    Des Français *sans-culottes*[1].

Enfin, de Paris au Japon,
De l'Africain jusqu'au Lapon,
    L'égalité se fonde.
Tyrans, le sort en est jeté :
Le bonnet de la liberté
    Fera le tour du monde.

---

1. Prémonition des aventures orientales de la France du Directoire... Le « despotisme oriental » de l'Empire turc était un *leitmotiv* de la politique des Lumières.

1792

LES SIX MINISTRES
Duport, Bertrand, Lessart, Narbonne, Tarbé, Cahier

Chanson de Jean-Marie Girey-Dupré
Sur l'air du vaudeville du Mariage de Figaro

Les ministres feuillants furent balayés en mars 1792 ; on les accusait d'animer un « Comité autrichien » et de freiner le déclenchement des hostilités contre l'Autriche. Adrien Duport, l'un des fondateurs du Club des Feuillants par scission des jacobins, avait organisé pour Louis XVI un ministère composé d'amis : Lessart aux Affaires étrangères et le comte de Narbonne Lara à la Guerre. Ils tentèrent de verrouiller l'influence de la Législative. Le comte Bertrand de Moleville, chargé du département de la Marine, Cahier et Tarbé, ministre des Finances, étaient de moindre envergure. L'allusion que la chanson fait à la mort de l'empereur Léopold (1er mars 1792) et au départ des ministres feuillants (10 mars 1792) la date des dernières semaines du mois. Ces ministres feuillants avaient été pour certains parmi les promoteurs de la première Révolution. Comme le dit la chanson, Lessart, contrôleur général des Finances en 1790, passait pour intime de Necker, dont la fille, Mme de Staël, fréquentait assidûment le comte de Narbonne. L'histoire s'accélère et montre les contradictions des protagonistes du grand spectacle révolutionnaire. L'auteur de la chanson, Girey-Dupré, fut guillotiné comme « brissotin » en novembre 1793 : il avait vingt-quatre ans.

Source : *Chansonnier patriote*, Paris, Garnery, an I (Pierre 592). Musique : Capelle 98 ; air de H. Tissier pour une chanson reprise en vaudeville par Beaumarchais dans *Le Mariage de Figaro* (1784) (IV, 9 ; V, 19).

Andante

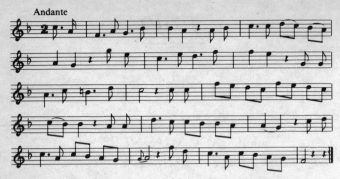

DUPORT

Autrefois, simple et crédule,
Je croyais à la vertu ;
Messieurs, de ce ridicule,
Ah ! je suis bien revenu.
Par le fossé du scrupule
Je sautai dans le château
Qu'habite monsieur *veto*[1]. *(bis)*

NARBONNE

J'ai fait, avec bien du zèle,
Mainte campagne... à Paphos[2],
Pris d'assaut... mainte ruelle,
Fait la guerre... en madrigaux[3].
La patrie est une belle
Dont j'ai ravi les faveurs
En lui disant des douceurs. *(bis)*

BERTRAND

J'ai menti, la chose est claire,
J'ai trompé la nation ;
Pour cela du ministère
Faut-il me chasser ? Oh ! non.
Si l'on était si sévère,
Un ministre sans trembler
Jamais ne pourrait parler. *(bis)*

TARBÉ

Pour remplir mon ministère,
Grands Dieux ! que je fais d'efforts !
Je dors et bois et digère,
Je digère et bois et dors.
Je ne m'inquiète guère,
Lorsque j'ai ma pension,
Si l'impôt se paye ou non. *(bis)*

LESSART

De Necker, disciple habile,
Et plus charlatan que lui,
Je suis en complot fertile,
Et des conjurés l'appui.
Mais, dans la liste civile,
Je puise mille vertus...
Voyez le *Coq* et l'*Argus*. *(bis)*

CAHIER

Pour le clergé réfractaire,
Pour les nobles, indulgent,
Pour les Jacobins, sévère ;
Comme Léopold, Feuillant,
Je ne fis au ministère
Qu'un trait dont on soit content,
Messieurs, c'est en le quittant. *(bis)*

1. Surnom de Louis XVI qui lui venait du droit de *veto* accordé au roi des Français par la Constitution. — **2.** Ville de Chypre où se trouvait un célèbre temple dédié à Vénus. Allusion aux aventures galantes de Narbonne Lara. — **3.** Petites pièces de vers amoureuses.

LE SALUT DE L'EMPIRE

Paroles de A.S. Boy
Sur l'air : « Vous, qui d'amoureuse aventure »

Cette pièce composée par Boy, chirurgien en chef de l'Armée du Rhin — d'autres sources désignent plutôt Girey-Dupré — fut jouée à la fête de la Fédération donnée aux Champs-Élysées, le 25 mars 1792 ; mais elle était surtout destinée aux armées. En janvier 1796, le Directoire décida de la faire interpréter en préambule de chaque représentation théâtrale. Plus tard, l'équivoque du premier vers — le terme « Empire » est un latinisme désignant la Nation — en fit un hymne bonapartiste, ce qu'il n'était aucunement à l'origine. On retrouve les mêmes thèmes dans le « Chant de l'Armée du Rhin », future *Marseillaise*.

SOURCE: *Le Chansonnier patriote*, Paris, an I (janvier 1793) (Pierre 608). Musique : Caveau 648 ; romance de *Renaud d'Ast*, opéra-comique de Nicolas Dalayrac créé en juillet 1787.

73

Veillons au salut de l'empire
Veillons au maintien de nos droits ;
Si le despotisme conspire,
Conspirons la perte des rois.
Liberté ! liberté ! que tout mortel te rende hommage !
Tyrans, tremblez ! vous allez expier vos forfaits.
Plutôt la mort que l'esclavage !
C'est la devise des Français.

Du destin de notre patrie
Dépend celui de l'univers ;
Si jamais elle est asservie,
Tous les peuples sont dans les fers.
Liberté ! liberté ! que tout mortel te rende hommage !
Tyrans, tremblez ! vous allez expier vos forfaits.
Plutôt la mort que l'esclavage !
C'est la devise des Français.

Ennemis de la tyrannie,
Paraissez tous, armez vos bras ;
Du fond de l'Europe avilie,
Marchez avec nous aux combats.
Liberté ! liberté ! que ce nom sacré nous rallie
Poursuivons les tyrans, punissons leurs forfaits.
Nous servons la même patrie ;
Les hommes libres sont Français.

Jurons union éternelle
Avec tous les peuples divers ;
Jurons une guerre mortelle
A tous les rois de l'univers.
Liberté ! liberté ! que ce nom sacré nous rallie
Poursuivons les tyrans, punissons leurs forfaits.
On ne voit plus qu'une patrie
Quand on a l'âme d'un Français.

COUPLETS SUR LA SUPPRESSION DES COSTUMES RELIGIEUX

Paroles de Ducroisi
Sur l'air : « Philis demande son portrait »

Composés par le futur chef des procès-verbaux de la Convention, ces couplets célèbrent la motion votée le 6 avril 1792 par l'Assemblée sur réquisition de l'évêque constitutionnel Torné et décidant l'abolition des costumes distinctifs du clergé. La veille, l'Assemblée législative avait voté la suppression de la Sorbonne, faculté de théologie de l'Université de Paris. De vieux relents d'« anti-monachisme » parcourent cette chanson : il ne faut pas remonter au Moyen Age ou à Rabelais pour les retrouver. La tradition classique du conte en vers (La Fontaine), la littérature romanesque libertine du XVIIIe siècle faisaient souvent du moine obscène — et de son « cordon » —, de la nonne aussi, des héros à la morale discutable, avant que Sade ne s'empare d'un personnage parfaitement adapté à son art d'insulter les bonnes mœurs.

Source : *Poésies révolutionnaires*, Paris, 1821 (Pierre 614). Musique : Capelle 449 ; air ancien repris en 1797 dans *Le Mariage de Scarron* d'Albanèse.

Tombez à la voix de *Torné*,
　Bizarre hiéroglyphe[1],
Dont l'orgueil seul avait orné
　L'estomac d'un pontife.

Rochets, soutanes et rabats,
　Déguisements fantasques,
Il fallait bien vous mettre à bas
　Puisqu'on défend les masques.

Un moine perdra-t-il le don,
  Mesdames, de vous plaire,
Quand il n'aura plus son cordon,
  Ou bien son scapulaire ?
Ah ! connaissez mieux frère Roch,
  Et son talent céleste,
Qu'importe qu'il perde son froc
  Quand sa vertu lui reste.

Et vous, dont les charmants appas
  Se cachaient sous la toile,
Sœur Luce, ne regrettez pas
  La guimpe[2] ni le voile !

Venez d'un costume nouveau
  Essayer la parure :
L'Amour vous offre son bandeau
  Et Vénus sa ceinture[3].

Bénissons nos législateurs
  Ces fameux philosophes :
Leur décret charme les tailleurs
  Et les marchands d'étoffes,
Heureux décret qui des nonnains
  Au monde rend les charmes,
Qui fait la barbe aux capucins
  Et qui chausse les carmes[4] !

---

1. Ici, au sens de mystère indéchiffrable. — **2.** Toile dont les religieuses se couvrent la gorge. — **3.** Bandeau qui rend l'Amour aveugle ; ceinture que Vénus dénoue volontiers. — **4.** Nonnains : nonnes. Les capucins portaient la barbe et les carmes « déchaussés » allaient nu-pieds.

LE NOUVEAU JOUJOU
PATRIOTIQUE,
DIT : L'ÉMIGRANT

Paroles de Ladré
Sur l'air de Calpigi dans Tarare

Les premiers émigrés quittèrent la France dès la fin du printemps 1789. L'arrestation du roi à Varennes le 21 juin 1791 avait accentué le départ de l'aristocratie : à Turin, à Londres, à Bruxelles, mais surtout dans les États allemands, et à Coblence où elle s'organisait militairement autour du prince de Condé. On donna alors le nom d'*émigrant* ou d'*émigrette* à un nouveau jeu, roulette suspendue à un cordon au moyen duquel on la faisait descendre et remonter (yoyo). Des enfants le « joujou » passa aux adultes ; et, entre autres activités, l'année 1792 fut celle des « émigrants ». La chanson du patriote Ladré « joue » sur ce thème.

SOURCE : Paris, Gouriet [1792] (Pierre 695*). Musique : Capelle 280 ; air : « Je suis né natif de Ferrare », chanté par Calpigi dans *Tarare* (III, 4), opéra d'Antonio Salieri sur un livret de Beaumarchais créé à l'Opéra de Paris en 1787. L'air comique de Calpigi fut souvent utilisé en vaudeville dans la chanson révolutionnaire : *Chanson à l'honneur des gardes françaises* (1790), *Chanson des bourgeois de Paris* et, dès 1787, il avait orné une chanson maçonnique.

Je vois quantité de machines
Amusant des mains enfantines,
Et j'entends dire à chaque instant :
Saute, saute, mon émigrant.
Ce jeu n'est pas fait sans malice ;
Car on voit l'acteur et l'actrice
Au spectacle s'en amusant[1].
Saute, saute, mon émigrant.

Pour que cette machine tourne,
Il ne faut pas qu'elle séjourne,
Ainsi que fait un noble errant.
Saute, saute, mon émigrant.
Tantôt à Turin se retire ;
Ensuite on le voit dans l'Empire ;
Tantôt il est dans le Brabant.
Saute, saute, mon émigrant.

A la loi qui l'appelle en France,
Ce matin, avec arrogance,
Y répond d'un ton menaçant !
Saute, saute, mon émigrant.
Mais le Français de lui se joue,

En tournant sa petite roue,
La remontant, la rabaissant.
Saute, saute, mon émigrant.

Dans Coblentz, dit-on, est le trône
Du grand Condé, qui toujours prône
Qu'il veut venir en conquérant.
Saute, saute, mon émigrant.
Qu'il vienne, on l'attend de pied
[ferme ;
Car sa menace est d'un long terme.
On lui dira, s'il est méchant :
Saute, saute, mon émigrant.

Soutenu des amis du pape,
De loin le noble mutin jappe ;
Mais il n'est guère entreprenant.
Saute, saute, mon émigrant.
Craint-il que ses soldats se
[mouillent,
Ou bien que leurs fusils se rouillent ;
Sont-ils soldats du Vatican ?
Saute, saute, mon émigrant.

Plusieurs d'eux craignent que leurs [têtes
Ne soient le prix de ces conquêtes.
Leur faible cœur s'en va battant.
Saute, saute, mon émigrant.

Nos braves réquisitionnaires[2]
Iront bientôt, hors des frontières,
Chanter, baïonnette en avant :
Saute, saute, mon émigrant.

---

1. Une actrice joua, avec grand succès, en manipulant sur scène une « émigrette ». — 2. Conscrits.

LEÇON AUX AUTRICHIENS

Anonyme
Sur l'air : « Aussitôt que la lumière »

Chanson « grenadière » composée pour la déclaration de guerre contre l'Autriche (20 avril 1792), ces vers valent surtout par le mélange curieux de sentiments patriotiques et de réflexions « grivoises ». Les allusions à Mirabeau-Tonneau, frère cadet du grand tribun et royaliste fervent, qui avait cherché refuge en 1790 dans le pays de Bade — au-delà du Rhin — et à l'abbé Maury, autre personnalité de l'émigration, futur archevêque de Paris, montrent que l'ennemi à mettre « à la lanterne » et à « sabrer » n'est pas seulement étranger. La guerre civile se poursuivra hors des frontières.

Source : Paris, Frère, 1792 (Pierre 686). Musique : Capelle 50 ; air ancien, chanson de Maître Adam (Adam Billaut, menuisier de Nevers au xviie siècle).

Ah ! ventrebleu ! quel dommage,
Pauvre dupe d'Autrichien !
Que n'as-tu dans ton bagage
Les droits de l'homme et le tien !

Pourquoi veux-tu que je rentre
Sous un régime maudit ?
Faut-il donc t'ouvrir le ventre,
Pour t'ouvrir un peu l'esprit ?

78

Sans raison l'on nous boucane[1] ;
Moquons-nous de ces houlans[2],
Tremblants devant une canne,
Et payés par des tyrans :
Citoyens, amis et frères,
Soldat de l'égalité,
On lit sur notre bannière :
La mort ou la liberté.

Tout l'univers nous contemple ;
Amis, frappons-en plus fort :
Au monde donnons l'exemple,
Aux tyrans donnons la mort :
Canonniers, brûlez l'amorce,
Redoublons tous nos efforts ;
Faisons-leur entrer par force
La vérité dans le corps.

Courage, qu'on me seconde,
Que du Rhin ils boivent l'eau ;
Volons arracher la bonde
Du tonneau de Mirabeau :
Aux marquis le droit de l'homme[3]
Ne peut, dit-on, convenir ;
Mais en revanche on sait comme
A leur femme il fait plaisir.

Plutôt qu'un aristocrate
Aux Français donne des fers,
J'irai faire, en démocrate,
Des motions aux enfers ;
Si Proserpine me berne,
Et tient pour l'abbé Maury,
Je la monte à la lanterne,
Et je sabre son mari.

---

1. Métaphoriquement, pour faire sécher la peau et le cuir. — 2. Uhlans, cavaliers des armées impériales. — 3. Équivoque obscène.

 # CHANT DE GUERRE
POUR L'ARMÉE DU RHIN
« La Marseillaise »

Paroles et musique de Rouget de Lisle

Le 20 avril 1792, la France entra en guerre contre le « roi de Hongrie et de Bohême », l'Empereur, pour tenter de laisser de côté l'Empire allemand. Le début de la campagne ne fut guère favorable : certains régiments de troupes réglées, et surtout les corps étrangers traditionnellement au service de la monarchie française, ne firent pas de prodiges, et d'aucuns (Royal Allemand, hussards de Saxe, etc.) passèrent à l'ennemi. Les troupes françaises refluèrent des Pays-Bas autrichiens (l'actuelle Belgique). C'est dans cette atmosphère de déroute qu'intervint le *Chant de guerre*, créé à Strasbourg le 25 avril et dédié au maréchal de Luckner, chef de l'armée du Rhin, Bavarois au service de la France. Paroles et musique — on a parfois discuté l'attribution de celle-ci à Rouget de Lisle — furent vite popularisées dans toutes les provinces comme hymne de la Nation en armes. Le 26 juin, un journal méridional le publia, parmi d'autres, et le chant remonta avec les « Marseillais fédérés » à Paris qui lui donna le nom de « Marche des Marseillais ». Chantée dans les théâtres et pendant les cérémonies patriotiques, *La Marseillaise* accompagna l'assaut des troupes françaises à Valmy. L'histoire future de l'hymne national (par décret de 1879) n'appartient pas à celle de la Révolution. Nous reproduisons la version primitive du *Chant de guerre*.

SOURCE : *Chant de guerre*, Strasbourg, Dannbach [mai 1792] (Pierre 14). Musique : pour voix seule ; l'air fut très souvent repris en vaudeville, et le texte parodié (« Allons, enfants de la Courtille », etc.).

Allons, enfants de la patrie,
Le jour de gloire est arrivé.
Contre nous de la tyrannie
L'étendard sanglant est levé. *(bis)*

Entendez-vous dans les campagnes
Mugir ces féroces soldats,
Ils viennent jusque dans vos bras
Égorger vos fils, vos compagnes.

Aux armes, citoyens ! Formez vos bataillons !
Marchons ! *(bis)* Qu'un sang impur abreuve nos sillons !

Que veut cette horde d'esclaves,
De traîtres, de rois conjurés ?
Pour qui ces ignobles entraves,
Ces fers dès[1] longtemps préparés ? *(bis)*
Français, pour nous, ah ! quel outrage,
Quels transports il doit exciter !
C'est nous, qu'on ose méditer
De rendre à l'antique esclavage ! *(Refrain)*

Quoi, des cohortes étrangères
Feraient la loi dans nos foyers ?
Quoi, des phalanges mercenaires
Terrasseraient nos fiers guerriers ? *(bis)*
Grand Dieu !... Par des mains enchaînées,
Nos fronts sous le joug ploieraient,
De vils despotes deviendraient
Les maîtres[2] de nos destinées ? *(Refrain)*

Tremblez, tyrans ! et vous perfides,
L'opprobre de tous les partis,
Tremblez ! Vos projets parricides
Vont enfin recevoir leur prix. *(bis)*
Tout est soldat pour vous combattre
S'ils tombent, nos jeunes héros,
La terre en produit de nouveaux
Contre vous tous prêts à se battre. *(Refrain)*

Français ! en guerriers magnanimes
Portez ou retenez vos coups,
Épargnez ces tristes victimes

A regret s'armant contre nous. *(bis)*
Mais le despote sanguinaire,
Mais les complices de Bouillé[3],
Tous ces tigres qui, sans pitié,
Déchirent le sein de leur mère. *(Refrain)*

Amour sacré de la patrie
Conduis, soutiens nos bras vengeurs.
Liberté, liberté chérie
Combats avec tes défenseurs. *(bis)*
Sous nos drapeaux, que la victoire
Accoure à tes mâles accents,
Que tes ennemis expirants
Voient ton triomphe et notre gloire ! *(Refrain)*

---

1. Depuis (archaïsme). — 2. Texte des éditions de 1792-1793. En l'an V, Rouget de Lisle corrigea en « moteurs » : C. Pierre suppose qu'il s'agissait en fait de la version primitive. — 3. Le marquis de Bouillé passa à l'ennemi après Varennes.

ROLAND A RONCEVAUX

Paroles et musique de Rouget de Lisle

Moins connu que son illustre contemporain, cet hymne fut composé à Strasbourg par Rouget de Lisle, en mai 1792, quelques jours après *La Marseillaise*. Dans les moments difficiles, les peuples évoquent les gloires du passé, même si le preux Roland et Charlemagne conviennent assez peu au républicanisme de ce printemps 1792. La mode était avant la Révolution au « style troubadour », adaptation moderne et relativement fade du Moyen Age aux mœurs du temps qui annonçait le romantisme « médiéval ». Rouget de Lisle tenta de « reconstituer » le « chant de guerre » du preux à Roncevaux « insultant » — tradition de la chanson de geste — l'adversaire avant d'en découdre. Ici l'ennemi est le Maure, « qui, après avoir envahi l'Espagne, voulait soumettre l'Europe au despotisme » (préface de l'auteur). Ce genre héroïco-historique à coloration moderne n'eut pas le même succès que *La Marseillaise* : on se souvient cependant du célèbre refrain. Rouget composa dans la même veine un *Bayard, chant héroïque*.

Source : Paris, Leduc, s.d. (Pierre 15). Musique : chant seul. Il existe des versions avec accompagnement de clavecin, d'instruments à vent ou pour orchestre d'harmonie.

« Où courent ces peuples épars ?
Quel bruit a fait trembler la terre,
Et retentit de toutes parts ? »
Amis ! c'est le cri du dieu Mars,
Le cri précurseur de la guerre,
De la gloire et de ses hasards...

REFRAIN

Mourons pour la patrie ;
Mourons pour la patrie ;
C'est le sort le plus beau, le plus digne d'envie. *(bis)*

Voyez-vous ces drapeaux flottants
Couvrir les plaines, les montagnes,
Plus nombreux que les fleurs des champs ?
Voyez-vous ces fiers mécréants
Se répandre dans nos campagnes,
Pareils à des loups dévorants[1] ?... *(Refrain)*

« Combien sont-ils ? Combien sont-ils ? »
Quel homme ennemi de sa gloire
Peut demander, combien sont-ils ?
Eh ! demande où sont les périls ;
C'est là qu'est aussi la victoire ;
Lâche soldat ! combien sont-ils ?... *(Refrain)*

Suivez mon panache éclatant,
Français ! ainsi que ma bannière,
Qu'il soit le point de ralliement.
Vous savez tous quel prix attend
Le brave qui dans la carrière
Marche sur les pas de Roland... *(Refrain)*

Fiers paladins, preux chevaliers,
Et toi surtout, mon frère d'armes,
Toi, Renaud, la fleur des guerriers !
Voyons de nous qui les premiers,
Dans leurs rangs portant les alarmes,
Rompront ce mur de boucliers. *(Refrain)*

Courage, enfants, ils sont vaincus ;
Leurs coups déjà se ralentissent ;
Leurs bras demeurent suspendus,
Courage ! ils ne résistent plus ;
Leurs bataillons se désunissent ;
Chefs et soldats sont éperdus. *(Refrain)*

Quel est ce vaillant Sarrasin
Qui, seul, arrêtant notre armée,
Balance encore le destin ?
C'est Altamor, c'est lui qu'en vain
Je combattis dans l'Idumée[2] :
Mon bonheur me l'amène enfin !... *(Refrain)*

Entends-tu le bruit de mon cor ?
Je te défie à toute outrance ;
M'entends-tu, superbe Altamor ?
Mon bras te donnera la mort,
Ou si je tombe sous ta lance,
Je m'écrierai, fier de mon sort :

REFRAIN

Je meurs pour la patrie ;
Je meurs pour la patrie ;
C'est le sort le plus beau, le plus digne d'envie. *(bis)*

Je suis vainqueur, je suis vainqueur...
En voyant ma large blessure,
Amis, pourquoi cette douleur ?
Le sang qui coule au champ d'honneur,
Du vrai guerrier c'est la parure ;
C'est le garant de sa valeur...

REFRAIN

Je meurs pour la patrie ;
Je meurs pour la patrie ;
C'est le sort le plus beau, le plus digne d'envie. *(bis)*

---

1. Allusion biblique : le loup est l'image de ceux qui exercent la violence.
— 2. Région qui s'étend entre le sud de la mer Morte et le golfe d'Akaba.

L'ANCIENNE
ET LA NOUVELLE MÉTHODES

Anonyme
Sur l'air des Portraits à la mode

La rupture entre France révolutionnaire et « aristocrates » émigrés ou non, devint totale avec la guerre. Cette ultime chanson nostalgique marque la fin des illusions : l'évocation du passé (mythe d'une France d'Ancien Régime où il faisait bon vivre que ressusciteront la Restauration et auparavant, d'une certaine manière, l'Empire), le refus de la France nouvelle font le contraste essentiel de cet air venu de l'émigration. Plus habilement, Rouget de Lisle récupérait le passé national pour consolider la Révolution : le « preux » Roland avait lui aussi le « cœur loyal » et « à l'ennemi [courait] comme au bal » — guerre en dentelles —, mais il combattait pour la Révolution et la liberté. A Coblence, l'ennemi était français.

SOURCE : *Almanach des émigrants*, Coblence, « de l'imprimerie des Princes », 1792 (Pierre 798). Musique : Capelle 730 ; air de Charles-Simon Favart.

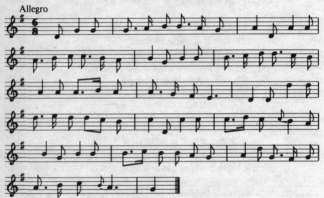

Jadis en France on savait s'amuser ;
Le verre en main, chacun voulait chanter
L'aimable objet qui l'avait su charmer ;
    C'était là l'ancienne méthode.
Mais aujourd'hui tout Français est soldat,
Homme de loi, philosophe, apostat,
Législateur ou grand homme d'État ;
    Voilà la nouvelle méthode.

De nos aïeux le cœur était loyal,
On les voyait, au moment du signal,
A l'ennemi courir tout comme au bal ;
    C'était là l'ancienne méthode.
Mais aujourd'hui que c'est bien différent !

Il ne faut plus, pour être un conquérant,
Que massacrer aussitôt qu'on se rend ;
   Voilà la nouvelle méthode.

Un Chevalier, magnanime et vaillant,
De sa maîtresse approchait en tremblant ;
Il lui cachait son amoureux tourment ;
   C'était là l'ancienne méthode.
Un Volontaire, aujourd'hui, bien frisé,
S'irrite et craint d'être tympanisé[1]
Si, dans le jour, il n'est favorisé ;
   Voilà la nouvelle méthode.

Servir son Dieu, sa Patrie et son Roi ;
Plutôt mourir que manquer à sa foi,
Et de l'honneur ne suivre que la loi :
   C'était là l'ancienne méthode.
Mais aujourd'hui que l'on a tant d'esprit ;
Ces préjugés n'ont plus aucun crédit,
Des Rois, de Dieu l'on plaisante et l'on rit ;
   Voilà la nouvelle méthode.

On respectait autrefois les vertus ;
On réformait doucement les abus ;
Quand on devait on payait en écus ;
   C'était là l'ancienne méthode ;
Mais aujourd'hui l'on est bien plus adroit ;
Par du papier la richesse s'accroît ;
En assignats on s'acquitte où l'on doit ;
   Voilà la nouvelle méthode.

---

1. Être ridicule.

LA CARMAGNOLE
DES ROYALISTES

Paroles et musique anonymes

Des trois ou quatre grandes chansons produites par la Révolution, cette *Carmagnole* est peut-être la seule qui ait une origine populaire. L'air semble avoir existé auparavant : air de danse ? ritournelle provençale ? chant de Carmagnole, ville du Piémont ? On n'en sait trop rien. Toujours est-il que la *Carmagnole* naquit complète à la fin du mois d'août 1792. Depuis le 13, la famille royale est enfermée au Temple. Dans ces mois où les armées de la Révolution ne font pas toujours bonne figure, l'instinct antimonarchique se rallume : Marie-Antoinette — « l'Autrichienne », sœur de l'Empereur qui nous combat —, les Suisses — troupes qui défendirent le roi aux Tuileries le 10 août —, le monarque lui-même sont l'objet de couplets sanglants. La levée en masse des provinces — les « Marseillais » cités arrivent avec « leur » hymne — va renverser la situation. Valmy n'est pas loin.

SOURCE : Paris, Frère, 1792 (Pierre 667). Musique : même édition ; chanson souvent reprise en vaudeville ou parodiée (*La Carmagnole du café Yon*, par Déduit, 1792 ; etc.). Capelle 673.

REFRAIN

Madam' Veto[1] avait promis *(bis)*
De faire égorger tout Paris. *(bis)*
Mais son coup a manqué,
Grâce à nos canonniers.

Dansons la Carmagnole,
Vive le son, *(bis)*
Dansons la Carmagnole,
Vive le son du canon !

Monsieur Veto avait promis *(bis)*
D'être fidèle à son pays, *(bis)*
Mais il y a manqué,
Ne faisons plus quartier. *(Refrain)*

Antoinette avait résolu *(bis)*
De nous fair' tomber sur le cul, *(bis)*
Mais le coup a manqué,
Elle a le nez cassé. *(Refrain)*

Son mari se croyant vainqueur *(bis)*
Connaissait peu notre valeur, *(bis)*

Va, Louis, gros paour[2],
Du Temple dans la tour. *(Refrain)*

Les Suisses avaient promis *(bis)*
Qu'ils feraient feu sur nos amis, *(bis)*
Mais comme ils ont sauté !
Comme ils ont tous dansé ! *(Refrain)*

Quand Antoinette vit la tour, *(bis)*
Elle voulut faire demi-tour, *(bis)*
Elle avait mal au cœur
De se voir sans honneur. *(Refrain)*

---

1. Marie-Antoinette, épouse de « M. Veto », voir la chanson *Les Six Ministres*, note 1, p. 73. — **2.** Lourdaud, rustre, grossier.

LE DIVORCE

Paroles de Pierre Colau
Sur l'air du Pas redoublé

Conséquence logique de la déchristianisation et de la Constitution civile du clergé, l'instauration du divorce fut votée par la Législative le 20 septembre 1792, jour de Valmy et avant-veille de la proclamation de la République ! Dans la chanson de Pierre Colau, de la section Bonne-Nouvelle, écrite sans doute quelques jours auparavant, le divorce est associé à l'abolition de l'esclavage que la Convention proclamera seulement en février 1794.

SOURCE : Dumersan, *Chansons nationales*, pp. 179-181 (inconnu de Pierre). Musique : un des « pas redoublés » du temps ; le choix n'est pas simple.

Puisque la France, en ce moment,
  Abolit l'esclavage,
Il faut détruire sagement
  Celui du mariage.

Pour ne pas se pincer les doigts
  Entre l'arbre et l'écorce,
On doit, dans nos nouvelles lois,
  Admettre le divorce.

On n'est pas toujours bien d'accord
  Dans le meilleur ménage :
Monsieur gronde, madame a tort,
  Madame fait tapage.
L'hymen[1], dans ces débats fâcheux,
  Attrape quelque entorse.
Or, dans ce cas il vaut bien mieux
  Invoquer le divorce.

Églé, n'aimez-vous pas vraiment
  Cette loi généreuse
Qui, par un heureux changement,
  Pourra vous rendre heureuse ?
Semblable au vieux saule pleurer
  Qui n'a plus que l'écorce,
Votre époux est toujours grondeur !
  Bénissez le divorce.

Grâce au divorce le plaisir
  Va prendre un nouvel être ;
Car il mourait où le désir
  Jamais ne pouvait naître.
Mais, déjà de paraître amant
  Quand chaque époux s'efforce,
L'amour sourit malignement
  A la loi du divorce.

Aux Romains, qui nous valaient
  On doit cette loi sage ;   [bien,
Que le Français, bon citoyen,
  En fasse un juste usage ;
Qu'enfin l'amour du changement,
  Par sa trompeuse amorce,
Ne fasse pas légèrement
  Demander le divorce.

1. Le mariage.

COUPLETS
SUR LA LOI DU DIVORCE

Anonyme
Sur l'air du Menuet d'Exaudet

La loi sur le divorce produisit aussi des chansons un peu plus frivoles dans la veine des petits genres poétiques de l'Ancien Régime. Ici le libertinage se combine heureusement au sens du progrès.

SOURCE : Dumersan, *Chants nationaux*, pp. 181-183 (inconnu de Pierre). Musique : Capelle 752 ; air célèbre sous l'Ancien Régime.

Andante

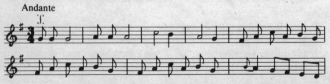

Cette loi,
Par ma foi,
Est très sage :
Par elle on verra toujours
La paix et les amours
Régner dans un ménage.
Si l'époux
Est jaloux
Et sauvage,
Pour une telle raison,
La femme peut fuir son
Ménage.

Le mari le moins volage
Peut après son mariage,
En garçon
Faire son

Bon apôtre ;
Même il peut, quoique lié,
Épouser la moitié
D'un autre.

Contre nous
Nul époux
Ne déclame ;
Car plusieurs se marieront
Dans l'espoir qu'ils pourront
Changer souvent de femme.
On pourra
Troquer sa
Citoyenne ;
Et, ce qui bien pis sera,
Parfois on reprendra
La sienne.

CHANSON SUR LA RÉPUBLIQUE

Anonyme
Sur le vaudeville des Visitandines

Le 21 septembre 1792, dès sa première séance, la Convention décréta : « La royauté est abolie en France. » Le lendemain, un autre décret décida de dater dorénavant de « l'an I de la République française » tous les actes administratifs. Le 20, l'ennemi avait reculé à Valmy, et en Lorraine, à Verdun et Longwy. Avant là fin du mois, la Savoie, Nice, Spire étaient aux mains des armées de la République. La France voulait enseigner la Liberté à l'Europe, et peut-être au monde. Les couplets suivants témoignent de cette ambition.

SOURCE : Paris, Frère, 1793 (Pierre 826*). Musique : Capelle 863 ; sur le vaudeville des *Visitandines*, opéra-comique de François Devienne créé en juillet 1792 (« A moins que dans ce monastère »). Cette pièce qu'on imagine peu religieuse eut un succès de scandale. Son « vaudeville » servit à de nombreuses chansons révolutionnaires (*L'inutilité des prêtres* de Piis, évidemment, en 1793, mais aussi à un *Hymne à l'Être éternel*, chanté le 20 prairial an II pour la fête de l'Être suprême).

Citoyens, malgré les intrigues
Des fanatiques et des rois,
Pour prix de nos longues fatigues
Nous jouirons de tous nos droits.
Que notre seule politique
Soit d'être toujours bien unis,
Et nous recueillerons les fruits
Que nous promet la république.

Donnons un autre nom, mes frères,
A nos balles, à nos boulets,
Envoyés par nos volontaires

Aux auteurs de tant de forfaits.
Ce fut pour eux un émétique :
Ils ont rendu Longwy, Verdun ;
Et ce remède peu commun
C'est l'anis[1] de la république.

Combattons, et que nos conquêtes
Détruisent les tyrans du nord :
A leurs peuples donnons des fêtes ;
C'est de nous que dépend leur sort.
Volons secourir la Belgique,
Allons seconder ses efforts ;

Nous serons toujours les plus forts
En propageant la république.

De notre saint père de Rome
Nous ne craignons pas les fureurs ;
Il voit que près des droits de
[l'homme
Ses bulles[2] ne sont que vapeurs.
Portons dans cette ville antique
Le catéchisme de nos lois,
Pour la voir encore une fois
Devenir une république.

Si nous voulons que la victoire
Fasse le bonheur des humains,
De l'Espagne que notre gloire
Fasse trembler les paladins,
Que ce peuple mette en pratique
Notre sainte insurrection :
Que la grande inquisition
Rende hommage à la république.

Nous irons voir dans la Turquie
Le disciple de Mahomet :

Il faut qu'il soit de la partie ;
Nous lui dirons notre secret.
S'il prête son serment civique
Et s'il abjure l'Alcoran,
Je lui donne, au lieu d'un turban,
Le bonnet de la république[3].

Que la raison soit notre égide
Pour conserver la liberté,
Et la nature notre guide
Pour établir l'égalité.
C'est un système sans réplique,
Tout patriote l'avouera ;
L'Univers alors deviendra
Par la suite une république.

Amis, redoublons de courage !
Le ciel protège nos travaux :
Nous avons partout l'avantage,
En dépit de tous nos rivaux.
Pour la prospérité publique
Formons les vœux les plus ardents,
Et nous serons indépendants
Sous les lois de la république.

---

1. Utilisé en pharmacologie comme correctif du séné. — 2. Jeu de mots sur le terme de bulle : acte administratif du Saint-Siège et... bulle de savon. — 3. Nouveau fantasme oriental, voir *Les voyages du bonnet rouge*.

LA RÉPUBLIQUE
OU CHANSON PATRIOTIQUE

Anonyme
Sur l'air : « La marmotte a mal au pied »

Le 25 septembre 1792, l'Assemblée, sous la pression des Montagnards qui repoussent les premières manifestations du mouvement fédéraliste, décrète que la République est une et indivisible. Cette célèbre formule applique à la République l'article 1er du titre II de la Constitution de 1791 : « Le royaume est un et indivisible. »

SOURCE : *Almanach républicain* (Paris, B.N.) (Pierre 1233). Musique : Capelle 313 ; chanson savoyarde ancienne.

Allegro

Vive la révolution
   Dont la force énergique
Imprime à notre nation,
   Par un trait électrique[1],
     L'horreur des rois,
     L'amour des lois
Et de la république !

L'aristocratie aux abois
   Va donc fermer boutique ;
Elle profère quelquefois
   (Mais c'est par politique)
     Tout bas ces mots
     Avec sanglots :
Vive la république !

Que devient des coalisés
   L'annonce prophétique ?
Tous leurs grands moyens sont usés
   Leur état est critique.

Que ces faux dieux
   Baissent les yeux
Devant la république.

Frappe-t-on l'air du nom français ?
   C'est pour eux l'émétique ;
Et le moindre de nos succès
   Leur donne la colique :
     Pour eux enfin
     Quel médecin
Que notre république !

Le peuple a repris tous ses droits
   Et sa puissance antique ;
Il a déraciné des rois
   L'arbre chronologique,
     Et consacré
     L'arbre sacré
De notre république.

---

1. Les années précédant la Révolution avaient été marquées par les expériences sur l'effet thérapeutique de l'électricité (Mesmer).

AUX SEIGNEURS ARISTOCRATES

Anonyme
Sur l'air des Bourgeois de Châtres

Le 19 juin 1790, l'Assemblée avait aboli les titres de noblesse. La proclamation de la République interdit tout retour en arrière. L'assimilation du noble à l'ennemi et à l'étranger se note bien dans cette chanson écrite après Valmy pour glorifier l'élite de l'armée française issue du Tiers qui a remplacé la noblesse d'épée et lui tient victorieusement tête sur les champs de bataille : Dumouriez contre Brunswick ; Kellermann et Custine contre Condé. Certes quelques-uns de ces généraux de la République étaient d'anciens nobles — Custine —, beaucoup ne survivront pas à la Terreur ou passeront à l'ennemi — Dumouriez —, mais il est certain que la Révolution accéléra la promotion d'officiers adolescents ou à peine hommes qui formèrent — quand ils survécurent — le haut personnel de la Grande Armée.

Source : Paris, Frère, 1792 (Pierre 732) ; chanson publiée dans les *Affiches* du 30 octobre et dans la *Chronique de Paris* du 9 décembre 1792. Musique : Capelle 564 ; Noël d'Eustache du Caurroy, maître de chapelle de Henri IV (« Tous les bourgeois de Châtres ») ; un des vaudevilles les plus courants de l'Ancien Régime.

Seigneurs aristocrates,
Où donc est le cercueil
Qu'aux bourgeois démocrates
Préparait votre orgueil ?
Nous devions expirer, à vous entendre dire :
Peut-être, nous vous en croyons,
Peut-être en effet nous mourrons,
Mais ce sera de rire.

Gonflés d'impertinence,
Comme sont tous les sots,
Vous disiez que la France
Était sans généraux.
Eh bien, qu'en pensez-vous ! Kellermann et Custine,
De leurs sabres républicains
Quand ils font la chasse aux faquins,
N'ont pas mauvaise mine ?

Dédaignez-vous encore
Le brave Dumouriez ?
Vous avez fait éclore
Sur son front des lauriers.
Nous avons un Ajax, nous avons un Ulysse[1],
Qui prend des villes par raison,
Tout en rimant une chanson,
Sans rêver à la Suisse.

Brunswick et sa cohorte,
Au très vaillant Condé
Devait prêter main-forte,
Mais il s'est évadé.
Voyons donc quel malheur en tout vous accompagne !
Nous vendrons vos châteaux jolis ;
Vous irez bâtir, mes amis,
Des châteaux en Espagne.

Vos pièces de campagne
Devaient brûler Paris[2] :
Pour le coup la montagne
Enfante une souris.
Il ne vous restera, pauvres soutiens du trône,
Que des yeux pour pleurer en vain,
Un sac, et tout juste une main
Pour demander l'aumône.

---

1. Références à deux héros d'Homère, le bouillant Ajax et le rusé Ulysse.
— 2. Le Manifeste de Brunswick (25 juillet 1792) promettait de livrer « la
ville de Paris à une exécution militaire », si la famille royale était « outragée ».

CHANSON GRIVOISE

Anonyme
Sur l'air : « Sur l'port avec Manon un jour »

La France républicaine est entourée de voisins menaçants ; cette chanson promet aux despotes les foudres du peuple en armes. Une nouvelle fois, nous assistons à un jeu de massacre où chacun reçoit son paquet : le roi de Prusse, Frédéric-Guillaume III, l'Empereur — Léopold II —, le « roi des Marmottes » — Victor-Amédée, duc de Savoie, roi de Piémont —, le pape — Pie VI —, Charles III d'Espagne, George III d'Angleterre, Catherine II de Russie — « c'te vieill' catin ». La chanson est dite « grivoise », car en langue poissarde.

SOURCE : *Anthologie patriotique*, Paris, Pougin, an III (Pierre 753). Musique : Capelle 549 ; musique d'Adolphe Blaise pour une chanson « grivoise » de Vadé.

Allegro

Le roi de Prusse et l'empereur
Veulent, dit-on, nous fich' malheur ;
Aisément cela se peut croire :
Ils voudriont que les Français
S' laississ' bâter comme autrefois.

Eh mais, un p'tit moment, que j'dis : messieurs les despotes ;
vot'perruque a fait son temps, et puis, tonnerre de Dieu !...
nos baïonnettes, c'n'est pas du coton, dà.

Car j'sommes des chiens ;
A coups d' pieds, à coups d' poings,
J' vous cass'rons la gueule et la mâchoire.

97

Le grand roi des marmott's itou
A mis la têt' hors de son trou ;
Aisément cela se peut croire.
Y croit comm' ça que sans violon
Y nous f'ra danser l' rigaudon.

Arrêtez donc c't'hanneton qui a une paille au cul qui l'étrangle.

Car j' sommes des chiens ;
A coups d' pieds, à coups d' poings,
J' vous cass'rons la gueule et la mâchoire.

Le pape aussi veut s'en mêler ;
Y s'est fait armer chevalier ;
Aisément cela se peut croire.
Aussi fier que Sacrogorgon,
Il porte sabre et mousqueton.

Et ben, j'vous dis, n'y a plus d'enfants. C'marchand d'*oremus*
qui veut faire le crâne ! tu n'as qu'à v'nir nous faire baiser ta mule ;
va, va, j'te f'rons baiser ben aut'chose.

Car j' sommes des chiens ;
A coups d' pieds, à coups d' poings,
J' lui cass'rons la gueule et la mâchoire.

Charles trois, à l'inquisition
Veut fair' passer la Convention ;
Aisément cela se peut croire ;
Mais c'est l' cousin de feu Capet :
J' l'y mettrons la tête au guichet.

Et ses soldats, qui n'tiennent pas au feu, qui qu'j'en f'rons donc ?
Eh ben comm'lui, j'en f'rons des cires d'Espagne.

Car j' sommes des chiens ;
A coups d' pieds, à coups d' poings,
J' leur cass'rons la gueule et la mâchoire.

98

George disait à son cher fils :
Tu succéderas à Louis ;
Aisément cela se peut croire.
J' f'rai, quand tu s'ras roi des Français,
Bâtir un pont sur l' pas d' Calais.

Ben imaginé, pour une bête, et c'est son fils qu'est un luron qu'i a le fil,
mais j'li avons fait danser la carmagnole devant Dunkerque.

Car j' sommes des chiens ;
A coups d' pieds, à coups d' poings,
J' l'y cass'rons la gueule et la mâchoire.

N'y a pas jusqu'à c'te vieill' catin,
Qu'est pus gueus' que l'bon Dieu n'est saint,
Aisément cela se peut croire,
Qui dit qu' ses grenadiers lapons
F'ront cheux nous rentrer les Bourbons.

Eh ben ! c'te vieille citadelle démolie, ça n'a plus qu'un chicot,
et ça veut mordre : tu n'as qu'à nous envoyer tes marionnettes,
j'leux épargnerons les frais du retour, j'leux payerons l'étape.

Car j' sommes des chiens ;
A coups d' pieds, à coups d' poings,
J' leur cass'rons la gueule et la mâchoire.

J' somm' libr' enfin, j' vivons en r'pos ;
J' nous fichons d'eux, et d' ça y a gros ;
Aisément cela se peut croire.
S'il fallait, j'irions aux enfers
Y fich' le bal à Lucifer.

Et je lui dirions : triple canon déculassé, vilain mul'tier, si tu jases, j'allons
fich' toute ta barraque à l'envers.

Car j' sommes des chiens ;
A coups d' pieds, à coups d' poings,
J' lui cass'rons la gueule et la mâchoire.

CHANSON PATRIOTIQUE

Anonyme
Sur l'air : « C'est la petite Thérèse »

Inspirés par la « déconvenue de l'armée prussienne » (autre titre de la chanson) à Valmy (20 septembre 1792), où l'on dit que les armées commandées par Brunswick furent victimes du raisin vert de Champagne que les soldats avaient malencontreusement dégusté, ces couplets donnent une image « bachique » d'une victoire française qui reste dans les mémoires par d'autres symboles : son moulin ou Goethe sur le champ de bataille. La chanson mêle deux événements — la retraite prussienne après Valmy et l'invasion du Nord de la France par les Autrichiens (siège de Lille) — arrivés à quelques jours d'intervalle en septembre. Valmy, où le duc de Brunswick est assimilé à son maître — « le grand Frédéric », non pas Frédéric II, mort en 1786, mais son successeur Frédéric-Guillaume III —, préfigure selon le chansonnier patriote la déconfiture des Autrichiens.

SOURCE : Paris, Frère, 1792 (Pierre 734). Musique : Capelle 33 ; ancien air popularisé par l'opéra-comique des *Vendangeurs*, voir la chanson suivante.

Savez-vous la belle histoire
De ces fameux Prussiens ?
Ils marchaient à la victoire
Avec les Autrichiens ;
Mais, hélas ! au lieu de gloire
Ils ont cueilli... des raisins.

Le raisin donne la foire ;
C'est le sort du Prussien.
Il courait à la victoire,

Mais la courante l'atteint ;
Il attrape, au lieu de gloire,
La colique du raisin.

Le grand Frédéric s'échappe,
Prenant le plus court chemin ;
Mais Dumouriez le rattrape
Et lui chante ce refrain :
N'allez pas mordre à la grappe
Dans la vigne du voisin.

100

N'ayez peur qu'on m'y rattrape,
Dit le héros prussien ;
Je saurai, si j'en échappe,

Dire au brave Autrichien :
Va tout seul mordre à la grappe
Dans la vigne du voisin !

« JE VENONS DE L'ASSEMBLÉE »

Anonyme
Sur l'air : « C'est la petite Thérèse »

Chantés sur le même air que la chanson précédente, ces couplets « grivois » viennent de Coblence. Ils sont censés témoigner du refus par la paysannerie des nouvelles institutions, de la constitution civile du clergé et surtout de la conscription : éléments explosifs qui vont ensanglanter l'Ouest de la France.

SOURCE : *Almanach des émigrants*, Coblence, 1792 (inconnu à Pierre). Musique : voir la chanson précédente.

Je venons de l'Assemblée,
Je n'en som's pas trop contents.
Ça vous fait la mijaurée,
Qui cherche à gagner du temps.
V'là-t-il pas c'te péronnelle
Qui vous trouve le jeu bon...

REFRAIN

Et allons donc, Mademoiselle,
Ça nous ennui', finissez donc.

Ell' fait quelque sortilège
Pour nous voler nos ducats ;
Ell' va toujours au manège,
Au manège ell' ne va pas.
Ne payons plus la donzelle,
Le travail sera moins long.
(Refrain)

Tous les biens de nos Églises
Ne lui suffisent donc pas ?
Ell' prendra bientôt nos ch'mises
Pour s'en fair' des assignats,
Nos boucles et nos écuelles...
Et pis bientôt nos chaudrons.
(Refrain)

Ses amants sur les frontières
Se battront-ils c'te fois-ci ?
Ils auront les étrivières,
Et la pauvre fille aussi.
Je ne voudrais pas pour elle
Perdre un seul cheveu d'mon front.
(Refrain)

1793

LA GUILLOTINE

Anonyme
Sur l'air du Menuet d'Exaudet

Cet instrument de supplice était déjà en usage au XVIᵉ siècle dans le sud de la France, en Italie ainsi qu'en Écosse et en Allemagne. Il tomba en désuétude dans la seconde moitié du XVIIᵉ siècle. Ce n'est qu'en 1789 que le docteur Joseph Ignace Guillotin, professeur d'anatomie à la faculté de Paris et député à la Constituante, proposa à l'Assemblée nationale son rétablissement. D'abord appelée la Louison ou la Louisette, elle fut expérimentée sur des cadavres à l'hôpital de Bicêtre puis employée pour la première fois sur la place de Grève pour l'exécution d'un bandit, le 25 avril 1792.

SOURCE : *Recueil de chansons* (Paris, B.N.) (Pierre 250). Musique : Capelle 752.

Guillotin,	D'Hippocrate,
Médecin	Qui, d'occire impunément,
Politique,	Même exclusivement,
Imagine un beau matin	Se flatte.
Que pendre est inhumain	Le Romain
Et peu patriotique.	Guillotin,
Aussitôt,	Que rien n'arrête,
Il lui faut	Consulte gens de métier,
Un supplice	Barnave, Chapelier[1]
Qui, sans corde ni poteau,	Avec le coup de tête.
Supprime du bourreau	Et sa main
L'office.	Fait soudain
C'est en vain que l'on publie	Une machine
Que c'est pure jalousie	Humainement qui tuera,
D'un suppôt,	Et qu'on appellera
D'un tripôt	Guillotine.

---

1. Barnave et Le Chapelier avaient été avocats avant d'entreprendre une carrière politique sous la Révolution. Ils furent tous deux « guillotinés ».

LA MORT DE LOUIS CAPET

Paroles de Ladré
Sur l'air : « Quand Biron voulut danser »

Lors du procès du roi, la lutte entre la Gironde et la Montagne s'exacerbe. Les uns souhaitent en obtenir, par tous les moyens de diversion, l'ajournement ; les autres, montrer comme le dit Saint-Just que « tout roi est un rebelle et un usurpateur ». La découverte, le 20 novembre 1792, des tractations secrètes du roi avec l'ennemi renforce la thèse des montagnards. Le jugement du roi est porté aux voix le 14 janvier 1793. La culpabilité est prononcée unanimement ;

la peine de mort, acquise à une faible majorité après un scrutin de vingt-quatre heures où chaque député est monté à la tribune exposer son point de vue sur la question capitale : « Quelle peine infligera-t-on à Louis Capet ? » ; le sursis enfin est rejeté. Le 21 janvier 1793 Louis XVI est exécuté sur la place de la Révolution en présence d'une foule nombreuse. Il a excité la haine ou la pitié, mais l'Europe entière est sous le choc.

Source : *Recueil de chansons* (Paris, B.N.) (Pierre 817). Musique : Capelle 475 ; air ancien.

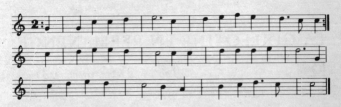

Le vingt et un janvier
Sept cent quatre-vingt-treize,
Capet, tyran dernier,
Qu'on nommait Louis Seize,
A reçu ses étrennes
Pour avoir conspiré.
Ce fuyard de Varennes
Est donc guillotiné.

Ayant prémédité
La perte de la France,
Contre la liberté,
Fut la plus grande offense.
La raison souveraine
Diminuant son rang,
Par conseil de la Reine,
Fit répandre le sang.

Louis Capet était
Héros du fanatisme,
Des prêtres, soutenait
Le sanglant catéchisme.

Ce parjure despote
Pour le peuple jurait :
Le blason, la calotte,
Ce tyran soutenait.

Les nobles orgueilleux,
Ses parents et ses frères,
Et de la part des cieux,
Les prêtres réfractaires,
Lui disaient de mal faire.
Les ayant écoutés,
La loi le met en terre :
Il l'a bien mérité.

Les tyrans couronnés
Et tous leurs satellites,
Les nobles enragés,
Qu'ils cessent leurs poursuites.
Ce grand chef des despotes
Est mort sur l'échafaud,
Les dévots et dévotes
N'osent plus dire un mot.

A Rome, que diront
Ses tantes, vieilles sottes,
Comme elles jureront
Contre les patriotes !
Et le pape de Rome
Nous excommuniera,
Et bientôt, un Saint Homme
Du tyran on fera.

Il pouvait être heureux
Étant roi sur la terre,
Pour lui, c'est malheureux
Qu'il fut sans caractère :
Faut avoir une tête
Pour être couronné,
Étant faible et trop bête,
Il fut guillotiné.

LA GUILLOTINE EN PERMANENCE

Anonyme
Sur l'air : « La bonne aventure, ô gué »

SOURCE : *Recueil de Chansons* (Pierre 1082*). Musique : Capelle 302 ; Chanson de Ponteau.

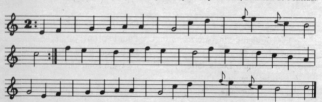

Le député Guillotin,
Dans la médecine
Très expert et très malin,
Fit une machine
Pour purger le corps français
De tous les gens à projets.
C'est la guillotine, ô gué !
C'est la guillotine !

Pour punir la trahison,
La haute rapine,
Ces amateurs de blasons,
Ces gens qu'on devine,
Voilà pour qui l'on a fait
Ce dont on connaît l'effet,
C'est la guillotine, ô gué !..., etc.

A force de comploter,
La horde mutine
A gagné sans y penser
Migraine maline.
Pour guérir ces messieurs-là,
Un jour on les mènera
A la guillotine, ô gué !..., etc.

De la France, on a chassé
La noble vermine,
On a tout rasé, cassé
Et mis en ruine.
Mais de noble, on a gardé
De mourir le cou tranché
Par la guillotine, ô gué !..., etc.

Messieurs les nobles mutins,
Dont chacun s'échine,
Soufflant par des efforts vains
La guerre intestine,
Si nous vous prenons vraiment,
Vous mourrez très noblement
A la guillotine, ô gué !..., etc.

Le dix[1] nous a procuré
Besogne de reste,
Les traîtres ont abondé,
C'est pis qu'une peste.
Comme on n'en veut pas manquer,
On punit sans déplanter,
La machine reste, ô gué !
La machine reste !

---

1. Le 10 août 1792, qui avait vu la prise des Tuileries et la chute de la Monarchie après de sanglants combats.

LA LIBERTÉ DE NOS COLONIES

Paroles de Piis
Sur l'air : « Daignez m'épargner le reste »

Les révolutionnaires ne pouvaient rester insensibles au problème de l'esclavage dans les colonies, négation même des droits de l'homme. Du 7 au 15 mai 1791 eut lieu à l'Assemblée nationale un long débat sur l'accession aux droits civiques des hommes de couleur dans les colonies. Une voix s'élève dans l'hémicycle, celle de Dupont de Nemours : « Périssent les colonies plutôt qu'un principe. » Un compromis est trouvé : l'esclavage est maintenu mais les hommes de couleur libres pourront, s'ils sont nés de parents libres, siéger aux Assemblées paroissiales et coloniales sans pouvoir cependant être élus à l'Assemblée nationale. Progrès considérable qui annonce le décret de la Convention du 4 février 1794 qui prévoit l'abolition de l'esclavage dans les colonies. Il est appliqué à Saint-Domingue et à la Guadeloupe, sans effet à la Martinique et à la Réunion. L'esclavage fut rétabli le 10 mai 1802 par Bonaparte.

SOURCE : *Chansonnier de la République* (Paris, B.N.) (Pierre 1226). Musique : Capelle 12. Vaudeville républicain chanté à la section des Tuileries le 20 pluviôse an II.

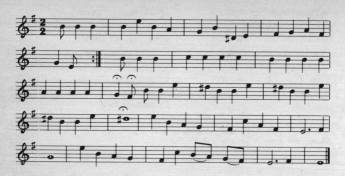

Le savez-vous, Républicains,
Quel sort était le sort du nègre ?
Qu'à son rang, parmi les humains
Un sage décret réintègre ;
Il était esclave en naissant,
Puni de mort, pour un seul geste...
On vendait jusqu'à son enfant.
Le sucre était teint de son sang,
Daignez m'épargner tout le reste...
                              (bis)

De vrais bourreaux, altérés d'or,
Promettant d'alléger ses chaînes,
Faisaient, pour les serrer encor,
Des tentatives inhumaines.
Mais, contre leurs complots pervers,
C'est la nature qui proteste
Et deux peuples, brisant leurs fers,
Ont, malgré la distance des mers,
Fini par s'entendre de reste. *(bis)*

Qu'ont dit les députés des noirs
A notre Sénat respectable,
Quand ils ont eu de leurs pouvoirs
Donné la preuve indubitable :
« Nous n'avons plus de poudre,
                              [hélas !

« Mais nous brûlons d'un feu
                              [céleste,
« Aidez nos trois cent mille bras,
« A conserver dans nos climats
« Un bien plus cher que tout le
                              [reste. » *(bis)*

Soudain, à l'unanimité :
« Déclarez à nos colonies,
« Qu'au désir de l'humanité,
« Elles sont par vous affranchies.
« Et si des peuples oppresseurs,
« Contre un tel vœu se manifestent,
« Pour amis et pour défenseurs,
« Enfin, pour colons de nos cœurs,
« Songez que les Français vous
                              [restent. » *(bis)*

Ces Romains, jadis si fameux,
Ont été bien puissants, bien braves,
Mais ces Romains, libres chez eux,
Conservaient au loin des esclaves.
C'est une affreuse vérité,
Que leur histoire nous atteste,
Puisqu'avec nous, d'humanité,
Déjà les Romains sont en reste. *(bis)*

Tendez vos arcs, nègres marrons[1],
Nous portons la flamme à nos
                              [mèches,
Comme elle part de nos canons,
Que la mort vole avec vos flèches.
Si des royalistes impurs,
Chez nous, chez vous, portent la
                              [peste,
Vous dans vos bois, nous dans nos
                              [murs,
Cernons ces ennemis obscurs,
Et nous en détruirons le reste ! *(bis)*

Quand dans votre sol échauffé,
Il leur a semblé bon de naître,
La canne à sucre et le café
N'ont choisi ni gérant, ni maître.
Cette mine est dans votre champ,
Nul aujourd'hui ne le conteste,
Plus vous peinez en l'exploitant,
Plus il est juste, assurément,
Que le produit net vous en reste.

                              (bis)

Doux plaisir de maternité,
Devenir plus cher à négresse[2] ;
Et sans nuire à fécondité,
Prendre une teinte de sagesse.
Zizi, toi n'étais, sur ma foi,
Trop fidèle, ni trop modeste ;
Mais toi, t'en feras double loi,
Si petite famille à toi
Dans case à moi, près de toi reste.

                              (bis)

Américains[3], l'égalité
Vous proclame aujourd'hui nos
Vous aviez à la liberté   [frères.
Les mêmes droits héréditaires.
Vous êtes noirs, mais le bon sens
Repousse un préjugé funeste...
Seriez-vous moins intéressants,
Aux yeux des républicains blancs ?
La couleur tombe, et l'homme reste !

                              (bis)

---

1. Esclaves révoltés. — 2. Langage « petit nègre » *(sic)*. De même, plus bas. — 3. Habitants de l'Amérique, et ici des Antilles.

COUPLETS SUR LE DÉCRET
QUI ORDONNE DE METTRE
L'AGE SUR LES PORTES

Paroles de C. Pipelet[1]
Sur l'air : « Femmes, voulez-vous éprouver »

Par un décret de la Convention, on dut, à partir du 29 mars 1793, afficher sur la porte de la maison que l'on habitait, son nom, son âge, sa profession. Des commissaires de police étaient chargés de veiller à l'application. Moyen facile d'identifier chaque citoyen et de séparer les vrais républicains des traîtres à la Nation.

Source : T. Dumersan, *Chansons nationales et républicaines de 1789 à 1848*, Paris, 1848 (inconnu de Pierre). Musique : Capelle 195 ; air du *Secret*, opéra-comique de Soliè (1796) ; la mise en musique est sans doute postérieure à la chanson.

Andante

Ô citoyens législateurs !
Écoutez notre humble prière !
Écoutez les Grâces en pleurs
Qui vous implorent pour leur mère.
Pourquoi, d'un décret importun,
Souiller votre gloire et la nôtre ?
En décrétant les droits de l'un,
Deviez-vous nuire à ceux de l'autre ?

Il est un droit bien précieux
Dont l'amour vous rend
        [responsables ;
C'est le droit de vous rendre heureux
En cherchant à nous rendre aimables.
Pour le conserver plus longtemps,
D'une main que l'amour éclaire,
Nous ornons des fleurs du printemps
Une tête quadragénaire.

Nos cheveux blancs, notre secret,
Sont cachés par des fleurs nouvelles :
Faut-il qu'un funeste décret
Trahisse le secret des belles !
Eh quoi ! dire avec vérité
Combien d'hivers couvrent nos
        [têtes !
Au moins si vous aviez compté
Par le nombre de nos conquêtes !

Ah ! de nos plus chers intérêts
Nous soutiendrons mieux l'avantage ;
Et nous braverons vos décrets,
Puisque vous bravez notre usage.
Permettez-nous donc d'effacer
Les traces que le temps apprête ;
Ou, si vous voulez le fixer,
Avant décrétez qu'il s'arrête.

1. Future princesse de Salm-Salm.

LA CONSTITUTION DE 1793
OU LES VŒUX ACCOMPLIS
OU LA FÉLICITÉ
DES VRAIS RÉPUBLICAINS

Paroles de P. Colau
Sur l'air de La Fête des bonnes gens

Le 2 juin, vingt-neuf députés ainsi que deux ministres sont arrêtés. La Montagne vient de triompher de la Gironde. Elle doit rassurer. Dans le domaine politique, pour éviter toute accusation de dictature, la Convention vote, le 24 juin, après une rapide discussion, la Constitution de l'an I. La Déclaration des droits de l'homme placée en exergue, va plus loin que celle de 1789 et l'acte constitutionnel a pour principal objectif l'exercice de la souveraineté nationale. Ratifiée le 4 août 1793 — les résultats du plébiscite sont proclamés le 10 août 1793, jour anniversaire de la chute de la monarchie lors de la fête de l'Unité et de l'Indivisibilité de la République —, elle ne fut toutefois jamais appliquée : le projet de Constitution était encore en discussion lorsque les Montagnards prirent le pouvoir. Symbole de démocratie politique, elle devait pourtant servir de modèle aux républicains du XIXe siècle.

SOURCE : T. Dumersan, *Chansons nationales et républicaines de 1789 à 1848*, Paris, 1848 (Pierre 858). Musique : Capelle 315 ; chanson de Guichard : air reproduit p. 126.

En ce jour l'allégresse
Réunit tous les Français ;
L'amitié, la tendresse
Vont couronner leurs succès :
La félicité parfaite,
Enivrant la nation,
Prépare en tous lieux la fête
De la constitution.

Cet astre vient d'éclore
Pour éclairer l'univers ;

Le drapeau tricolore
Surmonte enfin les revers,
La liberté, triomphante
D'une infâme faction,
Parmi des complots enfante
Une constitution.

A l'ombre de cet arbre,
Qui fait pâlir les tyrans,
Citoyens, sur le marbre
Gravons des faits aussi grands.

Quand l'égalité prononce
L'arrêt de l'ambition,
Déjà le bonheur s'annonce
Par la constitution.

Accourez à la ronde,
Peuple des départements !
En vain la foudre gronde
Lorsque vos embrassements
De la république entière
Prouvent encore l'union,

Et les vœux d'une âme altière
Pour la constitution.

Fidèles mandataires
Qui défendîtes nos droits,
A vos vertus austères
Si le peuple doit ses lois,
En couvrant votre mémoire
De sa bénédiction,
Il chantera votre gloire
Et la constitution.

COUPLET SUR L'ACCEPTATION DE LA NOUVELLE CONSTITUTION PAR LA COMMUNE DE PARIS LE 14 JUILLET 1793

Paroles de Baudrais
Sur l'air des Marseillais

SOURCE : *L'heureuse décade. L'Almanach chantant pour la présente année 1793* (Versailles, B.M.) (Pierre 867). Musique : Capelle 31 ; *La Marseillaise*, p. 80.

Fondateur de la république,
Vrai sans-culotte de Paris,
Malgré le système anarchique
Dont t'accusent nos ennemis, *(bis)*
Tu ne réponds à leurs injures
Qu'en demandant de bonnes lois :
Elles semblent suivre ta voix ;
Tu les obtiens, et tu les jures.
On sait confondre ainsi tout calomniateur :
Voilà comment, dans tous les temps tu t'en rendras vainqueur.

CHANSON DES SANS-CULOTTES

Paroles de A. Valcour
Sur l'air : « C'est ce qui me console »

Au cours de l'été 1793, le mouvement populaire prend une ampleur décisive. Les sans-culottes parisiens poussés par la crise font pression sur le gouvernement et réclament le 2 juin des mesures de salut public et l'arrestation des principaux chefs girondins. La Montagne tente de contenir le peuple, mais ses représentants viennent manifester à la Convention le 5 septembre 1793 et réclament l'arrestation des suspects, l'épuration des comités révolutionnaires, le maximum général. Cette chanson met en valeur l'enthousiasme et l'élan du petit peuple parisien qui, en cette période de crise, sauva la République.

Source : *Chansonnier républicain et le décadaire pour la deuxième année de la République française* (anonyme, B.M., Versailles) (Pierre 861). Musique : Capelle 428, voir p. 39.

Amis, assez et trop longtemps,
Sous le règne affreux des tyrans,
On chanta les despotes ; *(bis)*
Sous celui de la liberté,
Des lois et de l'égalité,
Chantons les sans-culottes. *(bis)*

Si l'on ne voit plus à Paris,
Des insolents petits marquis,
Ni tyrans à calottes, *(bis)*
En brisant ce joug infernal,
Si le pauvre au riche fait mal,
C'est grâce aux sans-culottes. *(bis)*

Leurs fronts à la terre attachés,
Dans la poussière étaient cachés,
A l'aspect des despotes ; *(bis)*
Levons-nous, ont-ils dit un jour,
A bas, Messieurs, chacun son tour,
Vivent les sans-culottes. *(bis)*

Malgré le quatorze juillet,
Nous étions trompés en effet,
Par de faux patriotes. *(bis)*
Il nous fallait la Saint-Laurent,
Et de ce jour l'événement
N'est dû qu'aux sans-culottes. *(bis)*

Ce jour fit reculer Brunswick,
Donna la chasse à Frédéric,
A tous les nulsifrottes. *(bis)*
Adieu leur voyage à Paris,
Mais pourquoi n'avaient-ils pas pris
Conseil des sans-culottes. *(bis)*

La tête de Capet tomba,
Son sceptre d'airain se courba,
Devant les patriotes. *(bis)*
Au règne désastreux des rois,
Succéda le règne des lois
De par les sans-culottes. *(bis)*

Dumouriez[1] voulant à son tour,
A Paris venir faire un tour
Contre les patriotes ; *(bis)*
C'est que Dumouriez n'avait pas
Prévu que les braves soldats
Étaient tous sans-culottes. *(bis)*

Des traîtres fuyaient au combat,
On les nomma hommes d'État,
Ils servaient les despotes. *(bis)*
Paris en masse se leva,
Tout disparut, il ne resta
Que les vrais sans-culottes. *(bis)*

De la Montagne, sans effort,
Sortit à l'instant ce trésor,
L'espoir des patriotes ; *(bis)*

Car, mes amis, à qui doit-on
Enfin la constitution ?
Aux membres sans-culottes. *(bis)*

La première offerte à nos yeux,
Était faite pour ces Messieurs,
Bons valets des despotes. *(bis)*
Celle-ci veut l'égalité,
Consolide la liberté,
Et tout est sans-culotte. *(bis)*

Nous l'acceptons avec transport,
La maintiendrons jusqu'à la mort,
En dépit des despotes. *(bis)*
Amis, leur règne va cesser,
Et le nôtre va commencer,
Vivent les sans-culottes ! *(bis)*

---

1. Dumouriez négocie avec les Autrichiens après avoir été battu par eux à Neerwinden le 18 mars 1793. Il forme le projet de marcher sur Paris pour renverser la Convention dont il conteste la politique, mais ses soldats refusent de le suivre. Il passe alors à l'ennemi.

COMPLAINTE SUR LE TOMBEAU DES SANS-CULOTTES

Paroles de Ducray-Duminil
Sur l'air : « Aussitôt que la lumière »

L'assassinat de Marat — le 13 juillet 1793 — eut d'importantes conséquences sur le mouvement politique dans les sections parisiennes, organisation de base des sans-culottes depuis mai 1790. Jouissant d'un immense prestige parmi le peuple, il fut l'objet après sa mort d'un culte qui demeura l'un des traits les plus originaux de la mentalité sectionnaire. D'août à décembre 1793, plusieurs sections et sociétés populaires célèbrent des pompes funèbres en l'honneur de Marat auquel est associé Lepeletier de Saint-Fargeau assassiné le 21 janvier 1793 par le garde du corps Paris parce qu'il avait voté la mort du roi. Chœurs, cortèges, draperies, candélabres, sarcophages, guirlandes, tout un cérémonial emprunté au culte catholique et à l'Antiquité se met peu à peu en place pour donner à ces cérémonies civiques une véritable dimension religieuse. Le culte des martyrs devient l'un des éléments du culte républicain mais, dès l'automne 1793, il paraît dangereux aux autorités gouvernementales car il exalte le sentiment révolutionnaire dans ses manifestations les plus extrêmes.

SOURCE : *Affiches, Annonces et Avis divers*, 17 frimaire an II (Pierre 1045). Musique : Capelle 50, voir p. 78.

Arrêtez-vous, patriotes,
Des droits de l'homme vengeurs,
Au tombeau des sans-culottes
Venez tous verser des pleurs !
Ils sont morts pour la Patrie
Et pour votre liberté
Cette mort digne d'envie
Mène à l'immortalité.

Quand vous suivrez nos bannières,
Lorsque vous battrez au champ,
N'oubliez pas que nos frères
L'ont arrosé de leur sang.
Que des tyrans de la terre
L'étendard soit renversé !
Broyez leurs corps en poussière
Dans le sang qu'ils ont versé.

Ce tombeau patriotique,
Témoin de notre douleur,
C'est la piété civique
Qui l'élève à la valeur.
Que le tombeau du despote
D'or partout soit revêtu,
Les pleurs d'un seul patriote
Honorent plus la vertu.

Ô victimes innocentes
De la trahison des rois !
De vos ombres gémissantes
Nous entendons tous la voix.
Vos enfants à la Patrie
Appartiendront désormais,
Une famille chérie,
Voilà *le peuple français*.

Chansons
sur la levée en masse

A partir de juillet 1793, l'aggravation des périls suscite un vaste mouvement populaire. Hébert écrit dans le numéro 265 du *Père Duchêne* : « Qu'en même temps tous les hommes en état de marcher et de porter les armes soient requis et qu'on se précipite de tous les côtés où il y aura du danger. » Le 23 août 1793 la Convention vote le décret de la levée en masse : « Dès ce moment jusqu'à celui où les ennemis auront été chassés du territoire de la République, tous les Français sont en réquisition permanente pour le service des armées. Les jeunes gens iront au combat ; les hommes forgeront les armes et transporteront les subsistances ; les femmes feront des tentes, des habits et serviront dans les hôpitaux, les enfants mettront le vieux linge en charpie, les vieillards se feront porter sur les places publiques pour exciter le courage des guerriers, prêcher la haine des rois et l'unité de la république. » Tous les jeunes gens de dix-huit à vingt-cinq ans doivent partir sur-le-champ. La première chanson, écrite en langue paysanne de théâtre, est extraite d'un tableau patriotique en un acte et en vers, mêlé de vaudevilles par le cousin Jacques représenté sur le théâtre de la rue Feydeau le 28 octobre 1793.

SOURCE : 1) *Nouveau chansonnier de l'an III* (anonyme, Paris, B.N.) (Pierre 2211). Musique : Capelle 673 ; voir p. 88. — 2) *Recueil d'hymnes patriotiques* (anonyme, Paris, B.N.) (Pierre 871). Musique : Capelle 53 ; par « Mme *** » de Bordeaux. — 3) *Poésies nationales de la Révolution française* (anonyme, Paris, 1836) (Pierre 2217). Musique : Capelle 515 ; air du *Tonnelier*, opéra-comique de A. Blaise.

1. LE SERMENT

Paroles de Beffroy de Reigny
Sur l'air de La Carmagnole

Vous saurez q' chaq' département
A fourni l' nouviau contingent, } *(bis)*
   Gnia des milliers d' soldats,
   Qu'ont du cœur et des bras...
   Vive la République !
   Vive le son ! vive le son,
   Vive la République,
   Vive le son du canon.

Tout chacun d'eux a ben promis
D' faire la barbe à nos ennemis ; } *(bis)*

C' sarment, il se tiendra
Car nos guerriers on d'ça...
      (montrant son cœur.)
   Vive la République ! etc.

L'aristocrate a peur de nous,
Car i' commence à filer doux ; } *(bis)*
   Enfin il se rendra,
   Et com' nous i' chantr'a :
   Vive la République ! etc.

2. AUX DÉPARTEMENTS

Anonyme
Sur l'air : « Avec les jeux dans le village »

Andante

Vous, qui, dans ce champ
               [respectable,
Venez répéter vos serments ;
Vous, dont le civisme indomptable
Jura la perte des tyrans ;
Amis, Français, mêlez vos armes
Avec celles des Parisiens.
Qui pourrait offrir plus de charmes
Que l'union des citoyens ?

Ces sentiments si nécessaires,
On veut en vain les affaiblir ;
La France est un pays de frères,
Ils sauront tous vaincre ou mourir.
L'honneur leur en prescrit la route,
Le ciel a dicté leurs serments :
Ils n'ont point de *veto*, sans doute,
Qui suspende ces sentiments.

Citoyens, dans ce jour de fête,
(C'en est un malgré le danger,
Puisqu'il offre avec la tempête
Des bras qui sauront l'écarter.)
Dans ce jour où la gaieté brille,
Que par nous il soit répété :
« La France n'est qu'une famille
« Qui, pour mère, a la liberté. »

La France nous donna la vie,
La France fut notre berceau ;
Avant que de la voir flétrie,
Elle sera notre tombeau.
Tel est le serment qui nous lie ;
Ici les dieux en sont garants ;
Périsse plutôt la patrie,
Que d'être au pouvoir des tyrans.

3. TABLEAU PATRIOTIQUE
DU COUSIN JACQUES

Paroles de Beffroy de Reigny
Sur l'air : « Rl'an tan plan, tambour battant »

Andante

Mes chers amis, jurons ensemble
L'Égalité, la Liberté :
Que le serment qui nous rassemble,
Jusqu'à la mort soit respecté.
Tyrans, dont l'âme est inhumaine,
Prenez bien garde à ce serment,
     R'li, r'lan,
Et n'espérez pas qu'on nous mène
R'lan tan plan, tambour battant.

Jamais un cri plus agréable
Pourra-t-il flatter l'Éternel ?
Jamais encens plus délectable
Parfumera-t-il son autel !
Dieu tout-puissant, soutiens nos
                  [armes !

Paix aux Français, guerre aux tyrans ;
     R'li, r'lan,
Et nous finirons nos alarmes
R'lan tan plan, tambour battant.

Assez longtemps de l'esclavage
Nous supportâmes le fardeau.
Longtemps une trompeuse image
Servit à nos yeux de bandeau...
Les lois et Dieu, voilà nos maîtres,
Défendons-les d'un cœur constant ;
     R'li, r'lan,
Et poursuivons partout les traîtres...
R'lan tan plan, tambour battant.

L'EXHORTATION
AU PATRIOTISME

Paroles de Dorat-Cubières
Sur l'air : « Lisette est faite pour Colin »

Cette chanson, sur un ton galant, exalte les valeurs de la République et critique l'Ancien Régime.

SOURCE : *Recueil d'hymnes patriotiques* (Paris, B.N.) (Pierre 1056). Musique : Capelle 477 ; chanson de l'abbé de Lattaignant.

S'il est douze cents députés
    Qui brisent nos entraves,
Le vœu de cent mille beautés
    Est de nous rendre esclaves :
Toutes nos dames ont regret
    A l'ancien régime,
Et louer un nouveau décret
    C'est perdre leur estime.

Ah ! ne les imitez jamais,
    Adorable Sophie[1] ;
Et connaissez mieux les bienfaits
    De la Philosophie :
C'est elle qui dicte des lois
    Aux Solons[2] de la France,
Et qui fera dans tous ses droits
    Rentrer un peuple immense.

Laissez les dames de la cour,
    Qu'on nomme aristocrates,
Portez des plaintes chaque jour
    Contre les démocrates.
Ces républicains véhéments
    Sifflés par les apôtres[3],
Brisent les chaînes des tyrans
    Pour mieux porter les vôtres.

Hâtez-vous donc de l'arborer
    Cette belle cocarde,
Dont j'aime tant à me parer
    Quand je monte ma garde :
Vous devez préférer à l'or
    Les fleurs à peine écloses ;
Ce joli ruban tricolor[4]
    A tout l'éclat des roses.

1. Dédicataire, en l'air, de la chanson. Cette Sophie est mise là pour la rime. — **2.** Législateur d'Athènes. — **3.** Allusion aux *Actes des Apôtres*, périodique dirigé contre les patriotes. — **4.** Licence poétique...

Chants illustrant
la défense du territoire

En 1793, la Convention doit se battre sur tous les fronts pour repousser les périls extérieurs et écraser la contre-révolution intérieure. Face aux coalisés, la paix semble impossible. La réquisition de 300 000 hommes a provoqué le soulèvement de la Vendée, les paysans refusant d'aller se battre loin de leurs villages. L'insurrection redouble d'intensité et les Vendéens restent invaincus jusqu'au mois d'octobre 1793. Une réaction nationaliste se dessine peu à peu, les Français nourrissant une haine farouche contre les ennemis de la Liberté.

SOURCE : 1) *Recueil d'hymnes patriotiques* (Paris, B.N.) (Pierre 857). Musique : Capelle 31 ; *La Marseillaise*, voir p. 80. — 2) *Almanach chantant* (Paris, B.N.) (Pierre 837*). Musique : Capelle 1415, divertissement de Gossec (1792). — 3) *Nouveau chansonnier*, an III (Versailles, B.M., anonyme) (inconnu de Pierre). Musique : Capelle 31 ; *La Marseillaise*, voir p. 80.

1. DÉPART DU PEUPLE RÉPUBLICAIN POUR PURGER LE SOL DE LA LIBERTÉ DES BRIGANDS QUI LA RAVAGENT

Paroles de Perrin
Sur l'air des Marseillais

Citoyens, la trompette sonne,
Partons, amis, sans balancer ;
C'est l'humanité qui l'ordonne,
La liberté va nous guider. *(bis)*
Chassons de notre république
Ces vils artisans de nos fers,
Apprenons à tout l'univers
Notre aimable serment civique ;
Aux armes, citoyens, point de grâce aux tyrans ;
Marchons, marchons, la liberté protège ses enfants.

Faisons rentrer dans la poussière
Ces intrigants, ces potentats,
Montrons-leur que la France entière
N'a que des citoyens soldats ; *(bis)*

Que l'intérêt qui nous rassemble
Éternise nos tendres vœux,
Jurons tous en ces jours heureux
De vivre ou de mourir ensemble.
Aux armes, etc.

Que peuvent des brigands esclaves
Contre un peuple né généreux ?
Malgré leurs horribles entraves,
Malgré tous leurs projets honteux, *(bis)*
Nous aurons sur eux l'avantage,
Combattant pour l'humanité,
Cette douce nécessité
Doit enflammer notre courage.
Aux armes, etc.

SERMENT DU PEUPLE FRANÇAIS

Nous nous vouons à la patrie,
Nous allons venger son honneur ;
Qu'est-ce donc pour nous que la vie,
Sans la liberté, le bonheur ? *(bis)*
Que servirait notre existence,
Ah ! nous ne pourrions qu'en changer,
Notre patrie est en danger
Nous y cédons sans résistance.
Aux armes, citoyens, punissons nos bourreaux ;
Marchons, marchons, la France entière est pleine de héros.

2. RONDE PATRIOTIQUE

Paroles de P. Colau
Sur l'air : « Si vous aimez la danse »

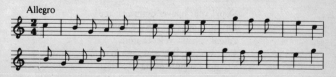

Favoris de la gloire
Et de la liberté,
Aux champs de la victoire
Volez avec fierté.
Qu'au son de la trompette,
L'airain frappant les airs,
Au loin l'écho répète *(bis)*
Ces foudroyants concerts. *(bis)*

D'une horde d'esclaves
Qu'un roi put captiver,
Les bras chargés d'entraves
Sur vous s'osent lever.
Qu'au son, etc.

Marchez vers la Vendée,
Ô braves Parisiens !
La palme est accordée
Aux vainqueurs des Prussiens.
Qu'au son, etc.

Malgré les cris de rage
Des lâches intrigants,
Déjà, votre courage
Fait pâlir les brigands.
Qu'au son, etc.

Puisse la République
Vous revoir triomphants,
Et le chêne civique
Ombrager ses enfants.
Qu'au son, etc.

Vainqueurs, la main des grâces
Couronne votre front ;
Aux lauriers sur vos traces
Les myrthes se joindront.
Qu'au son, etc.

3. CONSEILS PATRIOTIQUES

Paroles de Perrin
Sur l'air des Marseillais

Quoi ! vous pouvez dormir encore !
Entendez donc ces cris d'amour,
Allons enfants, voici l'aurore,
Pour vous voilà le plus beau jour. *(bis)*
Écoutez l'auguste patrie

Qui vous dit : marchez aux combats !
Elle dirigera vos bras,
C'est elle-même qui vous crie,
Aux armes, mes enfants ! punissez nos tyrans,
Marchez *(bis)* dans le néant plongez les intrigants.

Quoi ! cette clique meurtrière
Empoisonne encore nos remparts !
Ouvrez les yeux à la lumière,
Volez affronter les hasards. *(bis)*
Que la liberté qu'on outrage,
Enflamme à jamais tous vos cœurs ;
Si vous chérissez ses faveurs,
Vous redoublerez de courage.
Aux armes, etc.

Portez chez les peuples esclaves
Le catéchisme de nos lois,
Ce code sacré sans entraves,
Dont le peuple français fit choix. *(bis)*
Que notre mémorable exemple
Puisse à jamais briser leurs fers ;
Par nos vertus, que l'univers
En nous imitant nous contemple.
Aux armes, etc.

Amour sacré de la patrie,
Veille sur ces jeunes héros !
Liberté ! déesse chérie !
Achève et bénis leurs travaux. *(bis)*
Que dans les champs de la victoire,
On entende ces doux accents :
Le peuple doit à ses enfants
Son bonheur et toute sa gloire.
Aux armes, chers enfants, à vos postes d'honneur,
Marchez, *(bis)* la liberté va vous rendre vainqueurs.

Chants pour la fête
du 10 août 1793

Le 10 août 1793 ont lieu à Paris et dans différentes villes de province des fêtes célébrant le premier anniversaire de la chute de la Monarchie. A la suite des réflexions de Sieyès et de Lakanal sur les fêtes, paraît le 31 mai un décret qui ordonne pour le 10 août « une fédération générale et républicaine des Français ». A une époque où le mouvement fédéraliste oppose un grand nombre de départements à la Convention, le mot de réunion paraît moins dangereux que celui de fédération. Par la fête de la Réunion républicaine, on cherche à recréer l'unanimité et à réconcilier tous les Français. Unanimité trompeuse, car le danger n'a jamais été plus pressant. A Paris, sur l'emplacement de l'ancienne Bastille, les deux hymnes sont chantés devant une gigantesque statue de la Nature, de style égyptien, représentée sous les traits d'une femme, aux seins lourds d'où l'eau jaillit. L'hymne patriotique parut sous le titre d'« Ode à la République » pour la fête de la Fondation de la République le 1er vendémiaire an VI.

SOURCE : 1) *Affiches, Annonces et Avis divers*, 14 août 1793 (Pierre 874). Musique : Capelle 31 ; *La Marseillaise*, voir p. 80. — 2) *Nouveau chansonnier patriotique* (Pierre 885). Musique : Capelle 315 ; *La Fête des bonnes gens*, chanson de Guichard, voir p. 111. — 3) C. Pierre, *Musique des fêtes et cérémonies de la Révolution*, Paris, 1904 (Pierre 23) ; romance de Chardiny sur des vers de Florian.

1. HYMNE PATRIOTIQUE
POUR LA FÊTE
DE LA RÉUNION RÉPUBLICAINE

Paroles de P.-L. Moline
Sur l'air des Marseillais

Français, quelle brillante aurore
Nous ouvre les portes du jour ?

Le plus beau soleil vient d'éclore
Il éclaire un nouveau séjour ! *(bis)*
Une onde salutaire et pure,
Sur le sol de la liberté,
Découvre à notre œil enchanté
Le premier don de la nature.
Français, que nos accents s'élèvent jusqu'aux cieux !
Chantons *(bis)* la liberté, c'est un présent des dieux.

Républicains ! cette journée
Pour jamais nous rend tous unis ;
Aux yeux de la terre étonnée,
Confondons nos vils ennemis.
De nos tyrans bravons la rage !
Les peuples de tout l'univers,
Comme nous briserons leurs fers,
En imitant notre courage.
Français, que nos accents, etc.

Sur les débris du despotisme,
Au niveau de l'égalité,
Animés d'un brûlant civisme,
Cimentons la fraternité !
Par un dévouement héroïque,
Sous les regards de l'Éternel,
Faisons le serment solennel
De soutenir la république.
Français, que nos accents, etc.

Nous devons tout à la patrie ;
Elle veille sur nos destins.
Le Ciel, en nous donnant la vie,
Nous fit naître républicains !
Soumis aux lois de la nature,
Aux vertus formons notre cœur.
Par nos talents, notre valeur,
Étonnons la race future.
Nos pères, nos amis sont morts dans les combats ;
Vivons *(bis)* et grandissons pour venger leur trépas.

2. COUPLETS SUR LA FÊTE CIVIQUE DU 10 AOÛT 1793

Paroles de Baudrais
Sur l'air de La Fête des bonnes gens

Allegro

Nouvel ordre de choses,
Exige de nouveaux chants ;
Tant de métamorphoses,
Français, vous ont rendus grands :
Bonnes gens, légers de tête,
L'on vous a chantés longtemps ;
Moi, je chante à cette fête,
La fête des braves gens !

EN CHŒUR

Nous chantons à cette fête, etc.

Des fers du despotisme
Vous vous êtes dégagés,
Par votre ardent civisme
Vos droits connus sont vengés :
Vous ne courbez pas la tête
Sous le sceptre des tyrans,
Je vous chante en cette fête,
La fête des braves gens !

EN CHŒUR

Nous chantons, etc.

Enfin, des jours prospères
Vous sont sûrs à l'avenir :
Un grand peuple de frères
Ne peut plus se désunir.
Ils ont juré sur leur tête,
Et le cœur est du serment ;
Chantons donc, en cette fête,
La fête du sentiment !

EN CHŒUR

Chantons donc, etc.

Du républicanisme,
Voulu par les vrais Français,
L'odieux fédéralisme
Les éloignait à jamais :
Leur nouveau nœud politique
Sera la fraternité,
Chantons de la république
L'indivisibilité !

EN CHŒUR

Chantons, etc.

Paroles de Varon
Musique de Gossec

Allegretto

Refrain

Divinité tutélaire,
Rends la vie à nos sens !
Accrois notre ardeur guerrière
Et confonds les tyrans !

Égalité chérie, *(refrain)*
Égalité chérie,
Ô Nature, ô patrie,
Recevez tous vos enfants.

Que la coupe réunisse
Les états différents
Et que le riche y bénisse
L'humble habitant des champs.

Autrefois la France entière
N'honorait que les Grands,
Ils avaient la tête altière
Ainsi que les géants.

Aujourd'hui la France étale
De plus fiers sentiments
Et l'Auguste Roi ravale
Tous les fronts insolents.

La Raison nous rend des frères
Séparés trop longtemps.
Ah, pardonnons leurs chimères
Aux siècles ignorants !

Mais tout l'Univers sans doute	Oui, l'Univers nous écoute
S'éveille à nos accents.	Et répète nos chants.

---

1. A partir de 1794, cet hymne devient l'*Hymne à l'Égalité*, la quatrième strophe est supprimée.

CHANSON SUR LE MAXIMUM

Paroles de Ladré
Sur l'air : « Que voulez-vous dire »

Au début de l'automne 1793, la crise des subsistances se fait chaque jour plus forte. Le peuple s'attroupe devant les boulangeries, Paris ne recevant que 400 sacs de farine au lieu des 1 500 nécessaires. L'effervescence populaire, attisée par les difficultés politiques, est à son comble le 5 septembre 1793, jour où les sans-culottes marchent sur la Convention aux cris de « Guerre aux tyrans ! Guerre aux accapareurs ! Guerre aux aristocrates ! » Le 29 septembre, la Convention vote le Maximum général taxant les denrées et les salaires, le maximum sur les grains et les fourrages voté le 4 mai se révélant insuffisant. Les difficultés d'application de la loi entraînèrent l'accélération de la Terreur.

SOURCE : L. Damade, *Histoire chantée de la Ire république*, Paris 1892 (Pierre 849). Musique : Capelle 496 ; air ancien.

Braves Français, consolons-nous,
A juste prix, nous allons boire,
Et sur les tigres et les loups,
Nous remporterons la victoire.
La vraie justice est nobiscum[1],
Calotins, chantez Te Deum,
Moi, je chante le Maximum
Que l'on voit en France,
J'en ris quand j'y pense,
De la loi, c'est un beau factum
Que ce bienfaisant Maximum.

Depuis plusieurs siècles enfin,
La France fut toujours trahie.
Les riches prenaient le chemin
De faire égorger la patrie.
Mais que dure le Maximum,
Per saecula saeculorum,

De la loi, c'est un beau factum
On fera sa fête
En coupant sa tête.
Il vaut beaucoup mieux obéir,
Que de se faire raccourcir.

Eh bien, Français, que dirons-nous
Des hommes de notre Montagne ?
Ne travaillent-ils pas pour tous ?
La justice les accompagne,
Ils soutiennent l'égalité,
Ils veulent la fraternité
En abolissant la cherté,
Frappant sur le riche,
Qui trop fort nous triche,
Peut-on voir un plus beau factum
Que le bienfaisant Maximum ?

---

1. « Avec nous ». Ensuite d'autres formules pastichent le texte du service divin.

LE MOIS DE FÉVRIER
AUX MOIS DE JANVIER ET DE MARS

Paroles de Ducroisi
Sur l'air du Prévôt des Marchands

Le 5 octobre 1793, une nouvelle mesure de déchristianisation est appliquée. Le député conventionnel G. Romme établit le calendrier révolutionnaire faisant commencer l'année au jour anniversaire de la fondation de la République, le 22 septembre 1792. L'année est divisée en douze mois de trente jours plus cinq ou six jours complémentaires lors des années bissextiles. Ce sont les sans-culottides qui se maintiennent jusqu'en 1795. Chaque mois se compose de trois décades ; le décadi remplace le dimanche, les fêtes décadaires, les cérémonies religieuses. Le 24 octobre, sur le rapport de Fabre d'Églantine, la Convention débaptise les mois.

SOURCE : T. Dumersan, *Chansons nationales et républicaines de 1789 à 1848*, Paris, 1848 (Pierre 823). Musique : air ancien.

Messieurs de mars et de janvier,
Vous vous moquiez de février :
Près de trois fois six cents années.
Entre vous je fus comprimé ;
Mais enfin des âmes bien nées
Viennent secourir l'opprimé.

Quand je n'avais que vingt-huit
              [jours,
Sur trente-un vous comptiez
                [toujours :
Avril, en me prêtant sa lune,
Secondait votre lâcheté ;
Maintenant je ferai fortune
A l'ombre de la liberté.

Tous les quatre ans, un jour de plus
Dans les miens se trouvait inclus.
Par cet arrangement bizarre,
Quelquefois je comptais vingt-neuf ;
Mais aujourd'hui tout se répare :
La France ouvre un siècle tout neuf.

Le temps reprenant son vrai cours,
Chaque mois aura trente jours.
Dans le calendrier de Rome
Je fus déshérité par vous ;
Mais, grâce aux lumières de
               [Romme[1],
L'égalité règne entre nous.

Dans le nouveau calendrier
Je perds le nom de février.
Ce nom ne disait pas grand-chose :
Les vôtres ne valaient pas mieux ;
Mais sous le titre de *ventôse*,
J'épure la terre et les cieux.

Au changement que *Fabre*[2] a fait
Nous gagnerons tous en effet ;
Car cet élève de Molière,
Grave nos noms en lettres d'or,
Depuis le gai *vendémiaire*,
Jusqu'au superbe *fructidor*.

Rien de plus doux que *germinal*,
Rien de plus beau que *floréal* :
Tous ont à la métamorphose
Gagné des noms bien composés ;
Nivôse même et *pluviôse*
Sont heureusement baptisés.

Primidi mène à *duodi*,
Tridi, *quartidi*, *quintidi* ;
Sextidi vient, *septidi* passe ;
Puis *octodi*, puis *nonidi* ;
Enfin gaiement on se délasse
Dans le repos du *décadi*.

Trois fois cent, plus trois fois dix
              [jours,
Du travail auront le secours ;
Ce fut la volonté d'un sage[3] ;
Mais des pontifes charlatans
Mettaient tous les jours en
               [chômage,
Et commandaient l'abus du temps.

Nous remplaçons les vieux élus
Par les talents et les vertus :
Voilà nos dieux, voilà nos guides ;
Et laissant là le rit[4] romain,
Les cinq jours des *sans-culottides*
Sont fêtés du républicain.

Au bout de trois ans reviendra	Avec pompe on les célébra ;
L'an que *sextile* on nommera.	Mais nous aurons nos *franciades*
La Grèce eut ses *olympiades* :	Que l'Univers adoptera.

---

1. Romme, rapporteur du comité d'instruction pour le nouveau calendrier. — **2.** Fabre d'Églantine, auteur du *Philinte de Molière*, rapporteur de la commission pour la nouvelle dénomination des mois et des jours. — **3.** L'empereur Antonin ordonna par un édit qu'il y aurait trois cent trente jours de travail. — **4.** « Rite ». Licence poétique et vieux mot.

COUPLETS CHANTÉS AUX NOCES DU Cn***, PRÊTRE CI-DEVANT BÉNÉDICTIN LE 3 VENDÉMIAIRE AN II

Paroles de B. Lamothe
Sur l'air : « Chantez, dansez, amusez-vous »

L'automne 1793 annonce de violentes mesures de déchristianisation. Le calendrier républicain est adopté, le culte révolutionnaire se met en place, toute cérémonie religieuse est interdite hors des églises ; le clergé n'est plus rétribué par l'État ; la Convention codifie le 21 octobre les peines prises à l'encontre des prêtres réfractaires et ordonne la déportation de tout prêtre constitutionnel dénoncé par six citoyens. Dans la nuit du 6 au 7 novembre, l'évêque de Paris est contraint de démissionner ; le 24, les églises sont fermées dans la capitale. Cette chanson tourne en dérision les vœux prononcés par le clergé alors que l'état civil est laïcisé et que la guerre sévit, décimant la population.

SOURCE : *Collection de pièces importantes relatives à la Révolution française*, Paris, 1821 (Paris, B.N.) (Pierre 946). Musique : Capelle 1268 ; air de Blaise et Philidor pour *La Rosière de Salency* de Favart (1769).

Allons, messieurs, mariez-vous,
Profitez d'un si bel exemple ;
Mariez-vous, rien n'est si doux :
L'hymen vous offre enfin son temple.
Honneur au prêtre citoyen
Qui fraie aux autres le chemin.

A cette marque parmi nous,
Bon pasteur se fera connaître ;
Celui qui sera père, époux,
Doit passer pour le meilleur prêtre.
Honneur au prêtre citoyen
Qui fraie aux autres le chemin.

Jésus l'a dit avec raison,
Cette maxime est bien précise :

« Qui gouverne bien sa maison,
Gouvernera bien mon Église.»
Honneur au prêtre citoyen
Qui fraie aux autres le chemin.

Électeurs, juges des vertus,
Songez aux prêtres qui sont pères,
Mais dont les enfants reconnus
Ne feront point rougir leurs mères
Honneur au prêtre citoyen
Qui fraie aux autres le chemin.

Allons mes amis, réparons
Les pertes que cause la guerre,
Quand Mars dépeuple nos cantons,
Venus doit repeupler la terre.

Hymnes
pour la fête de la Raison

La politique de déchristianisation trouve son aboutisse-
ment dans les fêtes de la Raison célébrées au cours de l'hiver
de l'an II dans les édifices religieux de Paris et de province.
Vivement critiquées par les contemporains, ces fêtes font
appel, dans tous les lieux où elles sont données, à une

grandiose mise en scène. La plus prestigieuse eut lieu le 10 novembre 1793 (20 brumaire) à Notre-Dame transformée en temple de la Raison. Les hymnes de Chénier et de Rouget de Lisle furent chantés lors de la fête de la Raison organisée à l'église Saint-Roch le 30 novembre 1793 (5 frimaire).

SOURCE : 1) *Le Moniteur* (11 frimaire an II, 1er décembre 1793) (Pierre 32). — 2) *Poésies nationales de la Révolution française ou recueil complet des chants* (Pierre 33).

1. HYMNE A LA RAISON

Paroles de M.-J. Chénier
Musique de Méhul

{ Auguste compagne du Sage,
{ Déesse et compagne du sage, *(bis)*
Détruis des rêves imposteurs !
D'un peuple libre obtiens l'hommage,
Viens le gouverner par les mœurs !

Ô Raison, puissante immortelle,
Pour les humains tu fis la loi.
Avant d'être égaux devant elle,
Ils étaient égaux devant toi. *(bis)*

133

CHŒUR

Ô Raison, puissante immortelle,
Pour les humains tu fis la loi.

Avant d'être égaux devant elle,
Ils étaient égaux devant toi. *(bis)*

2. HYMNE A LA RAISON

Paroles et musique de Rouget de Lisle

Quand, déchirant les voiles sombres
Dont la nuit couvrait l'univers,
Le soleil, à travers les ombres,
Monte sur le trône des airs,
Reste impur des vapeurs funèbres,
Quelquefois d'épaisses ténèbres,
Arrêtent ses traits radieux :
Il roule... bientôt sa lumière
A dissous la masse grossière,
Et lui seul règne au haut des cieux.

Ainsi la raison triomphante
A terrassé le préjugé.
De l'orgueil, des maux qu'il enfante,
Le monde par elle est vengé.
Astre éclatant, je te salue !
Ta clarté, longtemps attendue,
Brille enfin aux yeux des Français :
Ô divinité tutélaire !
Puisse leur hommage te plaire !
Ils sont dignes de tes bienfaits.

Noble fille de la nature !
Sœur de la douce égalité !
Aux rayons de ta flamme pure,
L'homme connut sa dignité.
Ta main, dans son cœur magnanime,
Grava le sentiment sublime
De ses impérissables droits :

Tu soumis tout à son empire,
Et, roi de tout ce qui respire,
De toi seule il reçut des lois.

Porté sur ton aile rapide,
Je m'élance aux portes du jour :
Je franchis, d'un vol intrépide,
Le seuil de l'immortel séjour.
Sous tes auspices, je pénètre
Jusqu'à la source de mon être,
Jusqu'au lieu trois fois redouté
Où Dieu, dans une paix profonde,
Veille sur les destins du monde,
Et lui dicte sa volonté.

Dans notre âme docile encore
Par toi, le vice est combattu :
Tu nourris et tu fais éclore
Tous les germes de la vertu.
La gloire se doit tous ses charmes ;
C'est toi qui fais couler les larmes
De l'aimable et tendre pitié :
Tu fis l'amour pour la jeunesse ;
Et, pour consoler la vieillesse,
Tu créas la sainte amitié.

Triste victime du mensonge
Qui toujours l'obsède et la fuit,
Dans l'abîme où l'erreur la plonge,

134

Sans toi la vérité languit.
Parais... le monstre s'humilie
Devant la déesse avilie
Dont il usurpait les autels :
Par toi libre et victorieuse,
Elle revient, plus glorieuse,
S'offrir à l'amour des mortels.

Comment sont tombés en poussière
Ces colosses audacieux
Qui, de leurs pieds, foulaient la terre,
Et dont le front touchait aux cieux ?
Où sont ces coutumes barbares ?
Où sont ces trônes, ces tiares,
Fléaux des peuples asservis ?
Hier, de leur pompe dissolue
Ils affligeaient encor ma vue...
Je ne vois plus que leurs débris.

Ô raison ! ces honteux prestiges,
Ton souffle les a dispersés :
Bientôt leurs douloureux vestiges
Pour jamais seront effacés.
Telle, de sa tige arrachée,
La feuille morte et desséchée
Dans la fange s'ensevelit :

Ainsi la trombe menaçante
Qui pressait la mer mugissante
Au gré des vents s'évanouit.

Poursuis, déité protectrice !
Consomme ces grands changements :
Soutiens, couronne l'édifice
Dont tu posas les fondements ;
Des tyrans et de leurs ministres
Confonds les intrigues sinistres,
Et les sanguinaires desseins ;
Pour prix de leurs fureurs stupides,
Que leurs armes liberticides
Se plongent dans leurs propres seins.

Mais alors que leur chute expie
Tes outrages et nos malheurs,
Déesse ! d'une guerre impie
Éteins les flambeaux destructeurs.
Rends nos frères à la nature ;
Arrache-les à l'imposture ;
Désarme leurs bras égarés :
Que l'univers enfin contemple,
Unis dans ton auguste temple,
Tous les Français régénérés !

HYMNE
SUR LA REPRISE DE TOULON

Paroles de M.-J. Chénier
Musique de Catel

Dans le Sud-Est, le mouvement fédéraliste soutenu par les royalistes avait pris une ampleur considérable : depuis le 12 juillet, Toulon était en rébellion contre la République. Pour ne pas céder à la farouche répression menée par la

Convention, les royalistes livrent la ville et l'escadre de la Méditerranée aux Anglais, le 27 août. Après un siège de plusieurs mois durant lequel les républicains fusillent plusieurs centaines de rebelles, la ville tombe le 19 décembre 1793. Les troupes étaient commandées par Dugommier assisté de Bonaparte alors jeune capitaine d'artillerie. Le 10 nivôse, une fête célébra l'événement : au centre de la cérémonie, un tombereau traîné par des ânes portait les souverains.

SOURCE : *Le Moniteur* (n° 100, 10 nivôse an II) (Pierre 36).

Toulon redevenu français,
N'étend plus ses regards sur une onde captive,
Son roc purifié par de nouveaux succès,
Menace Albion fugitive.
Les feux qu'ont allumés des ennemis pervers,
Dirigés contre eux-mêmes, ont foudroyé leurs têtes ;
Et leurs vaisseaux, tyrans des mers,
Sont poursuivis par les tempêtes.

Anglais perfides, vos vaisseaux,
Teints du sang qui coula sous les remparts de Gênes,
D'une cité française osant souiller les eaux,
Venaient nous apporter des chaînes :
Les nôtres à Plimouth portant l'égalité,
Consoleront la Manche à des brigands soumise ;
Et le jour de la Liberté
Luira sur la sombre Tamise.

Il sera partout abattu,
Le rival insolent d'un peuple magnanime.
Le Français, aux combats, marche avec la vertu,
Et l'Anglais marche avec le crime.
Le pouvoir éternel qui siège au haut des cieux
Du peuple souverain protège le Génie ;
Et les éléments furieux
S'arment contre la tyrannie.

En vain vous prétendez encor
Appesantir sur l'onde un trident tyrannique,
Roi, ministres, guerriers, vainqueurs avec de l'or :
　　　Triomphants par la foi punique[1] :
L'univers se soulève ; il remet en nos mains
Le soin de recouvrer le public héritage ;
　　　Et les bras des nouveaux Romains
　　　Renverseront l'autre Carthage.

　　　Les esclaves cherchent les rois :
Toulon vomit au loin ses habitants coupables :
D'autres mortels plus purs invoquèrent nos lois,
　　　Sur ces rivages mémorables.
Abandonnant des cours l'asile corrupteur,
D'autres traverseront la liquide campagne,
　　　Et viendront chercher le bonheur
　　　Au port sacré de la Montagne[2].

　　　Lève-toi, reprends tes lauriers,
Ceins d'olive et de fleurs ta tête enorgueillie,
Fille de l'Océan, dont les flots nourriciers
　　　Baignent la France et l'Italie ;
Sur ton sein généreux porte-nous les trésors
De l'onde Adriatique et des murs de Byzance ;
　　　Appelle et conduis dans nos ports
　　　Les doux tributs de l'abondance.

　　　Peuple libre et triomphateur,
Français, votre destin fera le sort du monde ;
C'est un soleil nouveau, dont le feu bienfaiteur
　　　Réjouit, anime et féconde.
Tout ressent, tout bénit ses regards pénétrants,
Tout suit en t'invoquant, cet astre tutélaire ;
　　　Son feu qui brûle les tyrans,
　　　Nourrit les peuples qu'il éclaire.

---

1. Mauvaise foi. Allusion à la réputation des Carthaginois dans le monde romain... — 2. Référence politique et géographique : située au pied du mont Farou, la ville de Toulon reprise fut rebaptisée Port-la-Montagne.

ÉLOGE DE LA GAMELLE

Paroles de Pillet
Sur l'air de La Carmagnole

A la fin de l'année 1793, aux plus durs moments de la Terreur, les sans-culottes organisent des repas fraternels pour commémorer un événement patriotique et entretenir parmi le peuple la concorde et la fraternité. La prise d'un repas en commun prouve les liens qui unissent les sans-culottes, solidarité qui remplace le mépris dont ils ont longtemps souffert. Cette union devient un moyen de gommer les différences et de canaliser les énergies. Mais le gouvernement dut interdire ces banquets de crainte d'une récupération par les contre-révolutionnaires.

SOURCE : *Chansonnier de la Montagne* (anonyme, Paris, B.N.) (Pierre 992). Musique : Capelle 673 ; voir p. 88.

Savez-vous pourquoi, mes amis,
Nous sommes tous si réjouis ?
   C'est qu'un repas n'est bon
   Qu'apprêté sans façon.
   Mangeons à la gamelle,
Vive le son, vive le son !
   Mangeons à la gamelle,
   Vive le son du chaudron.

Point de froideur, point de hauteur ;
L'aménité fait le bonheur.
   Non, sans fraternité,
   Il n'est point de gaîté.
   Mangeons à la gamelle,
Vive le son, etc.

Nous faisons fi des bons repas ;
On y veut rire, on ne peut pas,
   Le mets le plus friand,
   Dans un vase brillant,
   Ne vaut pas la gamelle,
Vive le son, etc.

Vous qui bâillez dans vos palais
Où le plaisir n'entra jamais,
   Pour vivre sans souci,
   Il faut venir ici
   Manger à la gamelle.
Vive le son, etc.

On s'affaiblit dans le repos ;
Quand on travaille on est dispos.
   Que nous sert un grand cœur,
   Sans la mâle vigueur
   Qu'on gagne à la gamelle ?
Vive le son, etc.

Une fille à tempérament,
Qui veut se choisir un amant,
   Aux faquins du bon ton
   Préfère un bon luron
   Qui mange à la gamelle.
Vive le son, etc.

Savez-vous pourquoi les Romains
Ont subjugué tous les humains ?
  Amis, n'en doutez pas,
  C'est que ces fiers soldats
  Mangeaient à la gamelle.
Vive le son, etc.

Ces Carthaginois si lurons
A Capoue ont fait les capons[1].
  S'ils ont été vaincus,
  C'est qu'ils ne daignaient plus
  Manger à la gamelle.
Vive le son, etc.

Bientôt les brigands couronnés,
Mourant de faim, proscrits, bernés,
  Vont envier l'état
  Du plus pauvre soldat

  Qui mange à la gamelle.
Vive le son, etc.

Ah ! s'ils avaient le sens commun,
Tous les peuples n'en feraient qu'un :
  Loin de s'entr'égorger,
  Ils viendraient tous manger
  A la même gamelle.
Vive le son, etc.

Amis, terminons ces couplets
Par le serment des bons Français.
  Jurons tous, mes amis,
  D'être toujours unis.
  Vive la République !
Vive le son, vive le son !
  Vive la République !
  Vive le son du chaudron.

---

1. Poltrons. Synthèse historique rapide des « délices de Capoue » et belle allitération.

1794

LE SALPÊTRE RÉPUBLICAIN

Paroles par un citoyen de la section de « Mutius Scoevola »
Sur l'air : « Chacun avec moi l'avouera »

Au cours de l'été 1793, pour faire face aux périls extérieurs les effectifs militaires furent augmentés et toutes les ressources du pays mobilisées au service de la guerre. La fabrication des armes et des munitions posa beaucoup de problèmes. On créa de nouvelles manufactures, des savants comme Monge et Berthollet multiplièrent les recherches sur la fabrication des canons et des poudres, on développa l'exploitation systématique des salpêtres. Les citoyens devaient récolter dans leur cave les terres salpêtrées et les livrer aux ateliers qui en extrayaient la poudre par évaporation. Des écoles militaires furent aussi créées comme l'École pour la fabrication des canons, poudres et salpêtres. Cette chanson fut exécutée en pluviôse an II à l'ouverture des travaux pour l'extraction des salpêtres. En 1798, Cherubini adapta les paroles à une nouvelle mélodie.

SOURCE : *Affiches, Annonces et Avis divers* (14 pluviôse an II, 2 février 1794) (Pierre 1218). Musique : Capelle 89 ; air de *Philippe et Georgette*, opéra-comique de Dalayrac (1791).

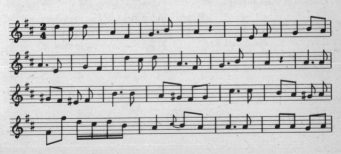

Elle parle, Républicains,
Et c'est la voix de la patrie,
Lavez la terre en un tonneau
En faisant évaporer l'eau ;
Bientôt, le nitre[1] va paraître.
Pour visiter Pitt en bateau,
Il ne nous faut que du salpêtre.

Mettons fin à l'ambition
De tous ces rois, tyrans du monde,
De ces pirates d'Albion
Qui prétendaient régner sur l'onde.
Nous avons tout ce qu'ils n'ont
                            [pas,
Nous avons le cœur et les bras,
D'hommes libres et faits pour
                            [l'être.
Nous avons du fer, des soldats,
Il ne nous faut que du salpêtre.

C'est dans le sol de nos caveaux
Que gît l'esprit de nos ancêtres,
Ils enterraient, sous leurs tonneaux,
Le noir chagrin d'avoir des maîtres.
Cachant sous l'air de la gaîté
Leur amour pour la liberté,
Ce sentiment n'osait paraître,
Mais dans le sol, il est resté
Et cet esprit, c'est du salpêtre.

On verra le feu des Français
Fondre la glace germanique ;
Tout doit répondre à ses succès :
Vive à jamais la République !
Précurseurs de la liberté,
Des lois et de l'égalité,
Tels partout on doit nous connaître,
Vainqueurs des bons par la bonté,
Et des méchants par le salpêtre.

_____

1. Autre nom pour désigner le salpêtre.

VAUDEVILLE
DES PETITS MONTAGNARDS

Paroles de Valcour
Vaudeville des Petits montagnards

Au lendemain du 2 juin 1793, la Montagne domine la Convention. A cette date, les principes sont arrêtés mais les moyens d'action qui vont être imposés par les sans-culottes parisiens pressés par les événements politiques, militaires et la crise économique manquent encore. A partir de juillet 1793, la dictature montagnarde se met en place. Ce vaudeville extrait d'un opéra-bouffe en trois actes représenté sur le théâtre de la Cité-Variétés le 17 janvier 1794, exalte dans un langage simple et imagé les valeurs de la Révolution.

Source : *Recueil de chansons* (Paris, B.N.) (Pierre 2233). Musique : Capelle 853 ; air de Foignet père.

Heureux habitants des campagnes,
Chez vous règne la liberté ;
En tout temps elle eut pour
              [compagnes
L'innocence et la vérité. *(bis)*

Ici le soleil est sans nuages,
Chaque jour frappe vos regards ;
A vos pieds, voyez les orages,
Et restez toujours Montagnards. *(bis)*

Ce fut sur la montagne antique
Que naquit l'homme libre et fier ;
C'est de la montagne helvétique
Que Tell pulvérisa Guesler[1]. *(bis)*
Que, dans la plaine, les esclaves
Rampent aux genoux des Césars.
Pour nous sans maîtres, sans
[entraves
Nous serons toujours Montagnards.
(bis)

Londres, Berlin, Vienne et l'Espagne
Prétendaient nous remettre aux fers,
Mais du sommet de la montagne
Un Dieu planait sur l'Univers. *(bis)*
Par sa fermeté, sa prudence,
Malgré leurs bataillons épars
La Montagne a sauvé la France
Gloire immortelle aux Montagnards.
(bis)

De la montagne inébranlable
Le plus terrible des volcans
A frappé la foule coupable
Des satellites des tyrans ; *(bis)*
La foudre a terrassé le crime ;

Il ne souille plus nos regards
Et depuis ce moment sublime,
Tous les Français sont Montagnards.
(bis)

Y'en a ben qu'la crainte accompagne,
Qui n'sont pas ferm' sur leurs jarrets ;
L'voulont gravir la montagne,
Et r'tombont toujours dans le marais.
(bis)

C'n'est pas là leur route ordinaire
I'sont sujets à trop d'écarts...
Ils ont beau dire, ils ont beau faire,
Ils ne s'ront jamais Montagnards.
(bis)

AU PUBLIC

Sur la montagne, dès l'enfance,
Nous en conservons la fierté ;
Nous brûlons avec tout' la France
De l'amour de la liberté. *(bis)*
Puiss' notre première campagne
Etre agréable à vos regards !
Vous êtes tous de la montagne,
Accueillez les p'tits Montagnards.
(bis)

---

1. Hermann Gessler était, selon la légende, envoyé impérial dans les cantons suisses d'Uri et de Schwytz au début du XIVe siècle. Il fut tué par Guillaume Tell.

HYMNE DU 21 JANVIER

Paroles de E. Lebrun
Musique de H. Jadin

Cet hymne fut chanté en pluviôse an II, premier anniversaire de la mort du roi. A cette date, la fête n'eut aucun caractère officiel. On célébra de façon improvisée la disparition de la royauté plutôt que l'exécution du roi. En floréal an II, cette fête prit, sous l'impulsion de Robespierre, un caractère officiel et reçut sa forme définitive par un décret de nivôse an III qui en fixa les grandes lignes jusqu'en 1799. Une troisième strophe fut ajoutée lors de la fête du 2 pluviôse an VII.

Source : *Recueil des Époques*, p. 52 (Paris, B.N.) (Pierre 39). Musique : même source.

Allegro moderato

Les flammes de l'Etna sur ses laves antiques
Ne cessent de verser des flots plus dévorants.
Des monstres couronnés des fureurs despotiques
Ne cessent d'ajouter aux forfaits des tyrans.

REFRAIN

S'il en est qui veulent un maître,
De rois en rois dans l'univers
Qu'ils aillent mendier des fers,
Ces Français indignes de l'être. *(bis)*

L'AMITIÉ RÉPUBLICAINE

Paroles de Piis
Sur l'air : « La comédie est un miroir »

Tout au long de la Révolution et particulièrement parmi le petit peuple parisien, on défend et on tente de mettre en pratique les valeurs nouvelles énoncées pour la première fois en France dans la Déclaration des droits de l'homme. Ce vaudeville fut chanté à la section des Tuileries le 10 pluviôse an II (29 janvier 1794).

SOURCE : T. Dumersan, *Chansons nationales et républicaines de 1789 à 1848*, Paris, 1848 (Pierre 1210). Musique : Capelle 304 ; *Le Prix*, vaudeville de Chardiny.

Andante

Des habitants du paradis
Qu'on parcoure la kyrielle,
De deux véritables amis
On y trouve à peine un modèle ;
Mais sans les auspices des saints,
Les Français, fêtant la décade,
Pourront donc en républicains,
Invoquer Oreste et Pylade[1].

Recevez d'un commun accord
Le vœu que, dans son allégresse,
Si longtemps après votre mort,

Ce peuple libre vous adresse.
Enflammez-nous, divins patrons,
D'un sentiment tel que le vôtre :
L'un pour l'autre quand nous
                              [vivrons,
Nous saurons mourir l'un pour
                                [l'autre.

L'amitié partage à dessein
Et les plaisirs et les alarmes :
Si l'on rit, elle rit soudain ;
Si l'on pleure, elle fond en larmes.

Des tyrans elle fuit les cours ;
Chez le sage on la voit sans cesse ;
Au riche elle échappe toujours,
Et du pauvre elle est la richesse.

Ainsi qu'avant l'astre du jour
Vous voyez l'aurore paraître,
L'amitié, devançant l'amour,
Chez les enfants se plaît à naître,
L'amitié, remplaçant l'amour,
Rend aux vieillards un calme utile,
Comme à la chaleur d'un beau jour
Succède un soir frais et tranquille.

Citoyens bons et généreux,
Que deux à deux l'amitié lie,
Venez en resserrer les nœuds
Devant l'autel de la patrie ;
Et pour vous moquer en chemin
Des pamphlets de la pâle envie,
Sans vous quitter jamais la main,
Traversez doucement la vie.

Entre les cœurs de deux amis,
Ô toi qui sus glisser la haine,

Songe à l'athlète qui jadis
De ses mains croyait fendre un
[chêne :
L'un de l'autre, par tes efforts,
Bien que ces deux amis s'éloignent,
Tu mourras rongé de remords,
Si quelque jour ils se rejoignent.

Quand, sous le nom de l'amitié,
Régnait une douceur traîtresse,
Du monde on sait que la moitié
Trompait l'autre avec politesse,
Mais par des airs qui font pitié
Nul fat aujourd'hui n'en impose,
Et sous le nom de l'amitié
Le républicain veut la chose.

Plus de châteaux, plus de palais,
D'un vain luxe asiles funestes ;
Républicains, à peu de frais,
Élevons-nous des toits modestes.
Mais sur le seuil de nos logis,
Disons comme un sage d'Athènes :
Plût au ciel que de vrais amis
Nos maisonnettes fussent pleines !

---

1. Fils de Strophios, roi de Phocide et d'Anaxibia, sœur d'Agamemnon, Pylade aida Oreste, son ami, à punir les meurtriers d'Agamemnon, voulut se sacrifier pour lui et épousa sa sœur, Électre. Avec Castor et Pollux, Oreste et Pylabe sont le symbole d'une amitié indéfectible.

Hymnes à l'Être suprême

Le 18 floréal an II (7 mai 1794), Robespierre fait un rapport à la Convention qui prévoit un cycle de fêtes « pour rappeler l'homme à la pensée de la Divinité, à la dignité de son être ». La première de ces fêtes est fixée au 20 prairial an II (8 juin 1794) et consacrée à l'Être suprême. David en élabore le plan. M.-J. Chénier doit, en quelques semaines, composer sur l'air des *Marseillais* les trois strophes guerrières qui seront chantées au Champ-de-Mars par le peuple et exécutées ensuite sur une musique de Gossec. Mais le 16 prairial, Robespierre demande à Sarrette, directeur de l'Institut national de musique, de substituer d'autres vers à ceux de Chénier et de faire chanter le chœur par le peuple tout entier. Pourquoi Chénier, considéré jusqu'alors comme le chantre de la Révolution a-t-il été écarté de l'Hymne à l'Être suprême même s'il fut mis à contribution pour cette fête du 20 prairial ? En l'an II, M.-J. Chénier est pris[1] entre deux tentations : sa fidélité à la Révolution même s'il critique la Terreur et sa volonté de sauver son frère André, victime du système mis en place par Robespierre. Il est l'objet d'une odieuse campagne de la part des contre-révolutionnaires qui l'accusent de n'avoir pas su ou peut-être pas voulu éviter la mort de son frère. De plus, M.-J. Chénier se classait parmi les Indulgents ce qui justifie aussi les attaques de Robespierre. Théodore Desorgues, poète inconnu à cette date, saisit l'occasion de la fête de l'Être suprême pour se donner des airs de parfait républicain et envoya à Sarrette des paroles dont la métrique s'adaptait parfaitement à l'air que Gossec avait composé en concert le 26 messidor. L'hymne de Desorgues appris dans la nuit du 19 au 20 prairial au public populaire par les musiciens du temps (Méhul à la section des Tuileries, Dalayrac à celle des Lombards) fut sans doute chanté après le discours de Robespierre le matin suivant au Jardin national (les Tuileries) par deux mille quatre cents choristes. Il fut aussi exécuté le 26 messidor an II dans sa version de concert par un grand chœur et les musiciens de l'Institut national.

Des dizaines de pièces furent composées pour cette fête qui demeure l'événement culturel dominant de l'époque, mais l'hymne de Desorgues fut sans cesse chanté sous la Révolution : le 30 ventôse an VI, à la fête de la Souveraineté du Peuple ; en l'an VII, lors de la commémoration du

---

1. Michel Vovelle, *Théodore Desorgues ou la désorganisation*, Paris, Le Seuil, 1980, pp. 102 et ss.

10 août et la même année, le 10 frimaire, à la fête de la Vieillesse. Il figure encore dans les livrets de chants jusqu'aux premières années de la Restauration.

SOURCE : 1) *Recueil de pièces patriotiques* (Paris, B.N.) (Pierre 47). — 2) *La Lyre républicaine* (Paris, B.N.) (Pierre 48).

1. HYMNE A L'ÊTRE SUPRÊME

Paroles de M.-J. Chénier
Musique de Gossec

Source de vérité qu'outrage l'imposture,
De tout ce qui respire éternel protecteur,
Dieu de la liberté, père de la nature,
     Créateur et conservateur ;

Ô toi ! seul incréé, seul grand, seul nécessaire,
Auteur de la vertu, principe de la loi,
Du pouvoir despotique immuable adversaire,
     La France est debout devant toi.

Tu posas sur les mers les fondements du monde ;
Ta main lance la foudre et déchaîne les vents ;
Tu luis dans ce soleil dont la flamme féconde
     Nourrit tous les êtres vivants.

La courrière des nuits[1], perçant de sombres voiles,
Traîne à pas inégaux son cours silencieux ;
Tu lui marquas sa route, et d'un peuple d'étoiles
     Tu semas la plaine des cieux.

Tes autels sont épars dans le sein des campagnes,
Dans les riches cités, dans les antres déserts,
Aux angles des vallons, au sommet des montagnes,
     Au haut du ciel, au fond des mers.

Mais il est pour ta gloire un sanctuaire auguste,
Plus grand que l'empyrée[2] et ses palais d'azur :
Dieu lui-même habitant le cœur de l'homme juste,
        Y goûte un encens libre et pur.

Dans l'œil étincelant du guerrier intrépide,
En traits majestueux tu gravas ta splendeur ;
Dans les regards baissés de la vierge timide,
        Tu plaças l'aimable pudeur.

Sur le front du vieillard la sagesse immobile,
Semble rendre avec toi les décrets éternels :
Sans parents, sans appui, l'enfant trouva un asile,
        Devant tes regards paternels.

C'est toi qui fais germer dans la terre embrasée,
Ces fruits délicieux qu'avaient promis les fleurs ;
Tu verses dans son sein la féconde rosée,
        Et les frimats réparateurs.

Et lorsque du Printemps la voix enchanteresse,
Dans l'âme épanouie éveille le désir,
Tout ce que tu créas, respirant la tendresse,
        Se reproduit par le plaisir.

Des rives de la Seine, à l'onde hyperborée,
Tes enfants dispersés t'adressent leurs concerts ;
Par tes prodigues mains la Nature parée
        Bénit le Dieu de l'Univers.

Les sphères parcourant leur carrière infinie,
Les mondes, les soleils devant toi prosternés
Publiant tes bienfaits, d'une immense harmonie
        Remplissent les cieux étonnés.

Grand Dieu, qui sous les dais fais pâlir la puissance,
Qui sous le chaume obscur visites la douleur,
Tourment du crime heureux, besoin de l'innocence,
        Et dernier ami du malheur.

L'esclave et le tyran ne t'offrent point d'hommage ;
Ton culte est la vertu ; ta loi l'égalité.
Sur l'homme libre et bon, ton œuvre et ton image,
    Tu soufflas l'immortalité.

Quand du dernier Capet la criminelle rage,
Tombait d'un trône impur écroulé sous nos coups,
Ton invisible bras guidait notre courage,
    Tes foudres marchaient devant nous.

Aiguisant avec l'or son poignard homicide,
Albion sur le crime a fondé ses succès :
Mais tu punis le crime, et ta puissante égide
    Couvre au loin le Peuple Français.

Anéantis des rois les ligues mutinées,
De trente nations taris enfin les pleurs ;
De la Sambre au Mont-Blanc, du Var aux Pyrénées,
    Fais triompher les trois couleurs.

A venger les Humains la France est consacrée :
Sois toujours l'allié du Peuple souverain ;
Et que la République, immortelle, adorée,
    Écrase les trônes d'airain.

Longtemps environné de volcans et d'abîmes,
Que l'Hercule français[3] terrassant ses rivaux,
Debout sur les débris des tyrans et des crimes,
    Jouisse enfin de ses travaux.

Que notre liberté planant sur les deux mondes,
Au-delà des deux mers guidant nos étendards,
Fasse à jamais fleurir, sous ses palmes fécondes,
    Les vertus, les lois et les arts.

---

1. La lune. — 2. Dans l'Antiquité, l'empyrée désignait la sphère céleste
supérieure. — 3. Hercule gaulois, symbole de la puissance nationale sous la
Monarchie, ici récupéré par la République.

2. HYMNE A L'ÊTRE SUPRÊME

Paroles de T. Desorgues
Musique de Gossec

Père de l'Univers, suprême intelligence,
Bienfaiteur ignoré des aveugles mortels,
Tu révélas ton être à la reconnaissance
    Qui seule éleva tes autels.

Ton temple est sur les monts, dans les airs, sur les ondes ;
Tu n'as point de passé, tu n'as point d'avenir ;
Et sans les occuper, tu remplis tous les mondes
    Qui ne peuvent te contenir.

Tout émane de toi, grande et première cause !
Tout s'épure aux rayons de ta divinité :
Sur ton culte immortel la morale repose,
    Et sur les mœurs la liberté.

Pour venger leur outrage et ta gloire offensée,
L'auguste liberté, ce fléau des pervers,
Sortit au même instant de ta vaste pensée
    Avec le plan de l'Univers.

Dieu puissant ! elle seule a vengé ton injure ;
De ton culte elle-même, instruisant les mortels,
Leva le voile épais qui couvrait la nature,
    Et vint absoudre tes autels.

Ô toi qui du néant, ainsi qu'une étincelle,
Fis jaillir dans les airs l'astre éclatant du jour,
Fais plus, verse en nos cœurs ta sagesse éternelle,
    Embrase-nous de ton amour !

De la haine des rois anime la patrie !
Chasse les vains désirs, l'injuste orgueil des rangs,
Le luxe corrupteur, la basse flatterie,
    Plus fatale que les tyrans !

Dissipe nos erreurs, rends-nous bons, rends-nous justes !
Règne, règne au-delà du tout illimité ;
Enchaîne la nature à tes décrets augustes ;
    Laisse à l'homme la liberté !

LA BATAILLE DE FLEURUS

Paroles de Lebrun
Musique de Catel

Le 26 juin 1794, Jourdan remporte la victoire de Fleurus,
décisive sur la première coalition formée par l'Angleterre au
printemps 1793. Fleurus permet non seulement la reconquête
de la Belgique et l'évacuation de la rive gauche du Rhin
mais surtout la libération du territoire français. Un fragment
de cette œuvre fut exécuté en concert le 11 messidor an II
(29 juin 1794). Dans sa forme intégrale, l'audition eut lieu le
14 juillet 1794.

SOURCE : T. Dumersan, *Chansons nationales de la Révolution française et républicaines de 1789 à 1848*, Paris, 1848 (Pierre 66).

C'est en vain que le nord enfante
Et vomit d'affreux bataillons ;
Leur corps est promis aux sillons
De notre France triomphante.
Fleurus, tes champs couverts de [morts
Attestent les heureux efforts
De la valeur républicaine :
Tes champs, fameux par nos exploits,

Ont trahi l'espoir et la haine
De cent mille esclaves des rois.

CHŒUR

Non, non, il n'est rien d'impossible
A qui prétend vaincre ou périr.
Ce cri : *Vivre libre ou mourir !*
Est le serment d'être invincible.

Pareils aux flots de ces ravines
Dont le bruit sème la terreur,
Ils s'avançaient, et leur fureur
Méditait de vastes ruines.
Leurs vœux se disputaient nos biens ;
Du meurtre de nos citoyens
Ils ensanglantaient leurs pensées.
Ils ont paru ! mais ils ont fui
Comme ces feuilles dispersées
Qu'Éole souffle devant lui.

CHŒUR

Non, non, il n'est rien d'impossible,
[etc.

Le Dieu que célèbre nos fêtes,
L'Éternel, combattait pour nous ;
L'Éternel dirigeait nos coups
Et frappait leurs coupables têtes.
Ô Fleurus ! ô vaste cercueil
Où des rois expire l'orgueil,
Où périt l'insulaire avare :
C'est là qu'au fer de nos soldats
L'Anglais fourbe, lâche et barbare,
A payé ses assassinats !

CHŒUR

Non, non, il n'est rien d'impossible,
[etc.

Soleil, témoin de la victoire,
Applaudis nos brillants succès !
Sois fier d'éclairer des Français ;
Répands tes feux et notre gloire !
Que sur leurs trônes chancelants,
Tous les rois, pâles et tremblants,

Craignent la même destinée !
Enfin les peuples ont leur tour,
Et leur justice mutinée
Les venge d'un aveugle amour.

CHŒUR

Non, non, il n'est rien d'impossible,
[etc.

Il n'est plus de lâches obstacles.
Vainqueurs sur la terre et les flots,
Tous les Français sont des héros.
Liberté ! voilà tes miracles !
L'ombre de nos seuls étendards
Fait tomber les tours, les remparts ;
Le Brabant nous ouvre ses portes,
Et le souffle de nos guerriers
Précipite au loin ces cohortes
Qui menacèrent nos foyers.

CHŒUR

Non, non, il n'est rien d'impossible,
[etc.

Ô Renommée ! à ces nouvelles,
A ces prodiges que tu vois,
Prête l'éclat de tes cent voix,
Ranime tes rapides ailes !
Va, par un fidèle rapport,
Glacer les despotes du nord !
Conte au Danube, au Borysthène[1],
Que, vengeur de sa liberté,
Le Français, de Sparte et d'Athènes,
Surpasse l'antique fierté !

CHŒUR

Non, non, il n'est rien d'impossible,
[etc.

_____
1. Ancien nom du Dniepr.

154

HYMNE DU 9 THERMIDOR

Paroles de M.-J. Chénier
Musique de Méhul

Le 8 thermidor an II (26 juillet 1794), la lutte suprême est engagée contre les structures même du gouvernement révolutionnaire par le Comité de sûreté générale. Mécontent de la politique du Comité de salut public, il s'en prend à Robespierre qui avait défendu à la Convention et devant les jacobins la politique menée par le gouvernement révolutionnaire. Ses adversaires dénoncent la dictature et préparent la riposte : ils l'empêchent de parler à la tribune de l'Assemblée le 9 thermidor et le mettent en accusation ainsi que son frère, Saint-Just, Couthon et Lebas. Le 10, l'Hôtel de Ville est envahi et les insurgés sont arrêtés. Les thermidoriens dissolvent le gouvernement révolutionnaire et organisent une République censitaire. A partir de l'an IV, le 9 thermidor est inscrit au calendrier des commémorations nationales. L'hymne de Chénier fut exécuté en l'an III et en l'an VI. Méhul en composa deux versions, c'est la seconde que nous donnons ici.

SOURCE : *La Sentinelle* (n° XXX, 8 thermidor an III, 25 juillet 1795) (Pierre 101).

Salut, 9 Thermidor, jour de la délivrance !
Tu viens purifier un sol ensanglanté.
Pour la seconde fois, tu fais luire à la France
Les rayons de la liberté. *(bis)*

Renverse, ô liberté ! cet autel homicide
Où l'horrible anarchie, un poignard à la main,
Comme autrefois Diane, aux monts de la Tauride,
S'apaisait par du sang humain.

Vous, que chante en pleurant l'amitié solitaire,
Femmes, guerriers, vieillards, beauté, talents, vertus,
Vous ne reviendrez pas consoler sur la terre
Vos parents qui vous ont perdus.

Ah ! de vos noms sacrés, la mémoire chérie
Peut du moins quelquefois soulager nos douleurs ;
Du moins, sur vos tombeaux, la plaintive patrie
A nos pleurs mêlera ses pleurs.

Vous accusez, du fond de vos augustes tombes,
Les coupables vengeurs qui nous ont outragés ;
C'est par de sages lois, non par des hécatombes,
Que nos amis seront vengés.

Oui, pour la République, un nouveau jour commence,
Nous verrons à la voix de vos mânes[1] proscrits,
L'humanité dressant l'autel de la clémence
Sur vos respectables débris.

Première déité, des lois source immortelle ;
Toi, qu'on adorait même avant la liberté,
Toi, mère des vertus, véritable Cybèle[2],
Touchante et sainte humanité.

Deux jours avaient vengé l'opprobre de nos pères
Mais le sceptre tombé des mains du dernier roi,
Armait encore les mains des tyrans populaires :
Il ne fut brisé que par toi.

Chantres républicains, célébrez la victoire,
Vierges du peuple franc, couronnez-vous de fleurs,
Pères, enfants, époux, bénissez la mémoire
Du beau jour qui sècha vos pleurs !

Le sommet de l'Olympe a vu réduire en poudre
Les superbes géants par la terre enfantés :
Au Sénat de la France aussi tombait la foudre
Sur les tyrans épouvantés.

En vain, pour conserver leur sanguinaire empire,
A tes yeux, ô soleil ! ils cachaient leur fureur,
Ivre de sang français, leur troupe en vain conspire
Avec la nuit et la terreur.

Ne crains plus d'éclairer le triomphe des crimes,
Remplace de ta sœur l'astre silencieux !
Les oppresseurs vaincus vont suivre leurs victimes,
Tu peux remonter dans les cieux.

Le peuple et le Sénat ont repris leur puissance,
Leur voix, des noirs cachots rompt les portes d'airain.
Échafauds où le crime égorgeait l'innocence,
Tombez à ce cri souverain !

Unis des intérêts qui paraissent contraires,
Un cœur qui sait haïr est toujours criminel,
Au festin de l'oubli, viens rassembler des frères
Pressés sur ton sein maternel.

La palme et le laurier cueillis par le courage
De leur tige robuste ont orné nos remparts.
L'olivier de la paix verra sous son ombrage
Fleurir l'excellence des arts.

Une longue tourmente a grondé sur nos têtes,
Des rochers menaçants nous présentaient la mort,
La terre est près de nous : qu'importe les tempêtes
Si la liberté vient au port !

---

1. Poétiquement : restes mortels. — **2.** Grande déesse de Phrygie, dite aussi Grande Mère, elle est dans l'Antiquité déesse de la Terre et des Animaux, identifiée par les Grecs avec Rhéa, mère de Zeus.

HYMNE POUR LA FÊTE
EN L'HONNEUR DE
BARA ET AGRICOL VIALA,
JEUNES MARTYRS DE LA LIBERTÉ

Paroles de P. Colau
Sur l'air : « Ce fut par la faute du sort »

Joseph-Agricol Viala et Joseph Bara n'ont pas quinze ans lorsqu'ils sont tués par les royalistes en 1793. Viala est abattu le 29 juillet 1793 alors qu'il tranchait les câbles d'un pont de bateaux qui franchissait la Durance. Bara est pris dans une embuscade près de Cholet et abattu pour avoir crié : « Vive la République », malgré les injonctions des Vendéens qui le somment de dire « Vive le Roi ». La Révolution en fit des martyrs de la République fêtés le 10 thermidor 1794. En raison des événements, cette célébration n'eut jamais lieu ; plusieurs pièces de théâtre furent consacrées à ces faits héroïques. M.-J. Chénier célébra les deux victimes dans plusieurs hymnes, en particulier dans *Le Chant du Départ*. Aujourd'hui, la véracité des faits « héroïques » est contestée, au moins pour Bara.

SOURCE : *Recueil de chansons* (anonyme, Paris, B.N.) (Pierre 1534). Musique : Capelle 71 ; voir p. 64.

Ô liberté ! voici le jour
Où l'on célèbre l'héroïsme
Des favoris de ton amour,
Martyrs de leur patriotisme.
Le réformateur des abus,
Loin des suppôts de l'imposture,
En rendant hommage aux vertus,
Bénit l'auteur de la nature.

Enfants dont la postérité
Admirera le grand courage
Et la mâle intrépidité
Qui des brigands brave la rage ;

Lorsque du père des mortels
Vos yeux contemplent la puissance,
Pour vous brûle sur ses autels
L'encens de la reconnaissance.

Les amis de l'égalité
N'honorent plus ces saints antiques
Que la sotte crédulité
Plaçait sous d'orgueilleux portiques.
Dans ces temples siégeait l'erreur
Qui nous cachait l'Être suprême ;
Mais aujourd'hui du Créateur
Le patriotisme est l'emblème.

Guerrier, qu'une belle action
Peut enlever à la patrie,
Songe qu'un jour au Panthéon
Ta mémoire sera chérie.

Tout républicain qui combat
Est couronné par la Victoire :
Si le plomb meurtrier l'abat,
Il est immortel dans l'histoire.

LE CHANT DU DÉPART

Paroles de M.-J. Chénier
Musique de Méhul

Cette composition fut destinée à célébrer après la victoire de Fleurus le cinquième anniversaire de la prise de la Bastille. Elle fut écrite par Chénier à la suite de sa querelle avec Robespierre pour la fête de l'Être suprême. Réfugié chez Sarrette, directeur de l'Institut national de musique, par crainte d'être arrêté à son domicile, il la présenta d'abord sous le voile de l'anonymat. Elle remporta un tel succès lorsqu'elle fut exécutée après la victoire de Fleurus qu'il acceptât alors d'y faire figurer son nom. Ce chant fut régulièrement exécuté sous le Directoire qui ordonna aux directeurs de spectacle « de [le] faire jouer, chaque jour, par leur orchestre, avant le lever de la toile » (arrêté du 4 janvier 1796). Il fut adapté pour la scène dès septembre 1794. Le refrain célèbre s'inspire de celui de *Roland à Roncevaux*, p. 83.

SOURCE : Charles Lhomme, *Les Chants nationaux de la France. Poètes et musiciens de la Révolution*, Paris, 1883 (Pierre 68). Musique : Capelle 335.

UN REPRÉSENTANT DU PEUPLE

La victoire, en chantant, nous ouvre la barrière,
La liberté guide nos pas ;
Et, du Nord au Midi, la trompette guerrière
A sonné l'heure des combats.
Tremblez, ennemis de la France,
Rois ivres de sang et d'orgueil !
Le peuple souverain s'avance ;
Tyrans, descendez au cercueil !
La République nous appelle ;
Sachons vaincre, ou sachons périr :
Un Français doit vivre pour elle ;
Pour elle, un Français doit mourir.

CHŒUR DES GUERRIERS

La République nous appelle ;
Sachons vaincre, ou sachons périr ;
Un Français doit vivre pour elle ;
Pour elle, un Français doit mourir.

UNE MÈRE DE FAMILLE

De nos yeux maternels ne craignez point les larmes :
Loin de nous de lâches douleurs !

160

Nous devons triompher quand vous prenez les armes ;
C'est aux rois à verser des pleurs.
Nous vous avons donné la vie ;
Guerriers, elle n'est plus à vous :
Tous vos jours sont à la patrie ;
Elle est votre mère avant nous.

CHŒUR DES MÈRES DE FAMILLE

La République nous appelle ;
Sachons vaincre, ou sachons périr :
Un Français doit vivre pour elle ;
Pour elle, un Français doit mourir.

DEUX VIEILLARDS

Que le fer paternel arme la main des braves ;
Songez à nous aux champs de Mars[1] :
Consacrez dans le sang des rois et des esclaves
Le fer béni par vos vieillards ;
Et, rapportant sous la chaumière
Des blessures et des vertus,
Venez fermer notre paupière,
Quand les tyrans ne seront plus.

CHŒUR DES VIEILLARDS

La République nous appelle ;
Sachons vaincre, ou sachons périr :
Un Français doit vivre pour elle ;
Pour elle, un Français doit mourir.

UN ENFANT

De Bara, de Viala, le sort nous fait envie[2] ;
Ils sont morts, mais ils ont vaincu :
Le lâche accablé d'ans n'a point connu la vie :
Qui meurt pour le peuple a vécu.
Vous êtes vaillants, nous le sommes ;
Guidez-nous contre les tyrans :
Les républicains sont des hommes ;
Les esclaves sont des enfants.

CHŒUR DES ENFANTS

La République nous appelle ;
Sachons vaincre, ou sachons périr :
Un Français doit vivre pour elle ;
Pour elle, un Français doit mourir.

UNE ÉPOUSE

Partez, vaillants époux, les combats sont vos fêtes ;
Partez, modèles des guerriers ;
Nous cueillerons des fleurs pour en ceindre vos têtes ;
Nos mains tresseront vos lauriers ;
Et, si le Temple de Mémoire
S'ouvrait à vos mânes[3] vainqueurs,
Nos voix chanteront votre gloire,
Et nos flancs portent vos vengeurs.

CHŒUR DES ÉPOUSES

La République nous appelle ;
Sachons vaincre, ou sachons périr ;
Un Français doit vivre pour elle ;
Pour elle, un Français doit mourir.

UNE JEUNE FILLE

Et nous, sœurs des héros, nous, qui de l'hyménée
Ignorons les aimables nœuds,
Si pour s'unir un jour à notre destinée,
Les citoyens forment des vœux,
Qu'ils reviennent dans nos murailles,
Beaux de gloire et de liberté,
Et que leur sang, dans les batailles,
Ait coulé pour l'égalité !

CHŒUR DES JEUNES FILLES

La République nous appelle ;
Sachons vaincre, ou sachons périr ;
Un Français doit vivre pour elle ;
Pour elle, un Français doit mourir.

TROIS GUERRIERS

Sur le fer, devant Dieu, nous jurons à nos pères,
  A nos épouses, à nos sœurs,
A nos représentants, à nos fils, à nos mères,
  D'anéantir les oppresseurs :
  En tous lieux, dans la nuit profonde,
  Plongeant l'infâme royauté,
  Les Français donneront au monde,
  Et la paix et la liberté !

CHŒUR GÉNÉRAL

  La République nous appelle ;
  Sachons vaincre, ou sachons périr ;
  Un Français doit vivre pour elle ;
  Pour elle, un Français doit mourir.

---

1. Métaphoriquement : à la guerre, au combat. — 2. Voir la chanson précédente. — 3. Voir note 1, p. 157.

HYMNE
A JEAN-JACQUES ROUSSEAU

Paroles de T. Desorgues
Musique de L. Jadin

Nous avions montré plus haut (p. 63) Rousseau sur le chemin du Panthéon. Il y entre maintenant. En 1794, il est opposé à Marat accusé de complots sanguinaires ; et pourtant ce dernier est l'objet d'un véritable culte lorsque ses cendres sont transférées au Panthéon le 21 septembre 1794. Ressusciter Jean-Jacques, c'est montrer que la Révolution a trahi la pureté des principes rousseauistes définis dans *Le Contrat social*. Cette composition, contemporaine du transfert des cendres le 11 octobre 1794, comprend à la fin une ritournelle, jouée par l'accompagnement sur un air de trois notes composé par Rousseau.

Source : *Affiches, Annonces et Avis divers* (19 vendémiaire an III, 10 octobre 1794) (Pierre 87). Musique : même édition.

Maestoso

Enfin sur les bords de la Seine,
Revient le vainqueur de nos lois,
Dans nos murs affranchis de rois,
Son ombre libre se promène
Loin des champs qu'il a préférés.
Transportons sa cendre chérie
Et pour le rendre à la patrie *(bis)*
Bravons ses ordres révérés. *(bis)*

Sombres bosquets d'Ermenonville[1]
Lac paisible, auguste berceau ;
Fuyez, l'absence de Rousseau
A désenchanté votre asile :
Qu'au moins, pour charmer votre [deuil,
Une pyramide éclatante,
Lève une tête triomphante,
Où nos yeux cherchaient son
[cercueil.

Ah ! si par la reconnaissance,
Jean-Jacques à nos yeux s'est offert,
Ce n'est point pour avoir ouvert
Tous les trésors de l'éloquence :
Mais il a dit la vérité,
Mais son âme sensible et pure
Nous ramène vers la nature,
Par la voix de l'humanité.

Mais il fut malheureux... l'envie
Lui vendit cher notre bonheur ;
Comment son souffle empoisonneur
Souilla-t-il la plus belle vie ?
Un sage attisa son flambeau !
Mais pardonnons à sa mémoire,
Le trépas l'absout : et la gloire
L'unit dans le même tombeau.

164

Embrassez-vous ombres célèbres,
Au sein de l'immortalité ;
Par vous l'auguste liberté
De l'erreur chassa les ténèbres ;
Quand des arts l'empire alarmé,
Lutte contre la calomnie,
Faut-il encore que le génie
Contre lui même soit armé ?

Sors de ton urne funéraire
Sors, sublime législateur
Vois ce peuple libérateur
Qui t'implore comme son père
Contemple ce nouveau Sénat

Qui, fondé par ton éloquence,
Porte les destins de la France
Avec ton immortel contrat[2].

Tombez tous aux pieds de ce sage,
Femmes, enfants, vieillards,
                              [guerriers,
De fleurs, de chêne, et de lauriers ;
Courez, enlacez son image ;
Et chantant ses aimables airs,
Délassements de son génie,
Faisons redire à Polymnie[3]
Le plus touchant de ses concerts.

---

1. Rousseau avait été enseveli près de Paris à Ermenonville où son ami Girardin lui avait composé un véritable jardin de philosophe et l'île des Peupliers qui supportait son tombeau. — 2. Allusion au *Contrat social*, chef-d'œuvre politique de Jean-Jacques. — 3. Muse de la poésie lyrique.

1795

LE RÉVEIL DU PEUPLE

Paroles de J.-M. Souriguère
Musique de P. Gaveaux

Au cours de l'hiver 1794-1795, la Convention est dominée par les modérés ; la Montagne a perdu toute influence même si une violente poussée jacobine s'est encore manifestée lors du transfert des cendres de Marat au Panthéon, le 21 septembre. La réaction qui se met en place s'attaque à tous les vestiges de la Terreur. La « jeunesse dorée » constitue des bandes qui mènent de violentes actions contre les jacobins ; elle demande la proscription de *La Marseillaise. Le Réveil du peuple* dont la première audition eut lieu à Paris le 30 nivôse an III (19 janvier 1795) au café de Chartres, son quartier général, devient le chant de ralliement de ces jeunes gens à la mode.

SOURCE : *Le Messager du soir* (1er pluviôse an III, 20 janvier 1795) (Pierre 1719). Musique : Capelle 941.

167

Peuple français, peuple de frères,
Peux-tu voir sans frémir d'horreur
Le crime arborer les bannières
Du carnage et de la terreur?
Tu souffres qu'une horde atroce
Et d'assassins, et de brigands,
Souille par son souffle féroce
Le territoire des vivants.

Quelle est cette lenteur barbare?
Hâte-toi, peuple souverain,
De rendre aux monstres du Ténare[1]
Tous ces buveurs de sang humain!
Guerre à tous les agents du crime!
Poursuivons-les jusqu'au trépas!
Partage l'horreur qui m'anime!
Ils ne nous échapperont pas!

Ah! qu'ils périssent, ces infâmes
Et ces égorgeurs dévorants,
Qui portent au fond de leurs âmes
Le crime et l'amour des tyrans!

Mânes plaintifs de l'innocence
Apaisez-vous dans vos tombeaux,
Le jour tardif de la vengeance
Fait enfin pâlir vos bourreaux.

Voyez déjà comme ils frémissent,
Ils n'osent fuir, les scélérats!
Les traces du sang qu'ils vomissent
Décèleraient bientôt leurs pas.
Oui, nous jurons sur votre tombe,
Par notre pays malheureux,
De ne faire qu'une hécatombe
De ces cannibales affreux.

Représentants d'un peuple juste,
Ô vous! législateurs humains,
De qui la contenance auguste
Fait trembler nos vils assassins,
Suivez le cours de votre gloire;
Vos noms, chers à l'humanité,
Volent au temple de mémoire,
Au sein de l'immortalité.

---

1. Au pied du cap Ténare, au sud du Péloponnèse, se trouvait dans l'Antiquité une grotte d'où s'échappaient des vapeurs sulfureuses. Les Grecs y voyaient l'une des entrées des Enfers.

LA CARMAGNOLE
DE FOUQUIER-TINVILLE

Paroles de Ladré
Sur l'air de La Carmagnole

A.Q. Fouquier-Tinville, nommé en 1793 procureur du tribunal révolutionnaire, requiert avec vigueur la peine de mort contre les accusés, en particulier les girondins. Il applique sans nuance la loi du 22 prairial an II (10 juin 1794) qui fait régner la Terreur. Jusqu'en juin 1794, le tribunal de Paris fit guillotiner 1 251 personnes et plus de 1 300 entre le 10 juin et le 27 juillet. Arrêté après le 9 thermidor, jugé par le tribunal révolutionnaire épuré, il est condamné à mort et exécuté le 6 mai 1795.

SOURCE : T. Dumersan, *Chansons nationales et républicaines de 1789 à 1848*, Paris, 1848 (Pierre 1760). Musique : Capelle 673 ; voir p. 88.

Fouquier-Tinville avait promis
De guillotiner tout Paris ;
    Mais il en a menti,
    Car il est raccourci.
    Vive la guillotine
    Pour ces bourreaux !
    Vive la guillotine
    Pour ces bourreaux,
        Vils fléaux !

Ce monstre fit assassiner,
Souvent même sans les juger,
    Vieillards, femmes, enfants,
    Jeunes adolescents.
    Vive, etc.

Il fit bien mettre en jugement
Et condamner injustement
    Le comte de Fleury[1],
    Dont il fut l'ennemi.
    Vive, etc.

Sans acte d'accusation,
Avec précipitation
    Il fit couler le sang
    De plus d'un innocent.
    Vive, etc.

Ennemi des bons citoyens,
Il employait tous les moyens
    Pour les faire périr :
    C'était là son plaisir[2]
    Vive, etc.

Ce barbare, cet inhumain,
Des humains ce vil assassin,
    Choisissait pour amis
    Nos plus grands ennemis
    Vive la guillotine
    Pour ces bourreaux !
    Vive la guillotine
    Pour ces bourreaux
        Vils fléaux !

Notes de l'édition en référence :
1. Rosset de Fleury avait écrit au tribunal pour lui annoncer qu'il partageait les opinions de sa famille qui venait de périr et qu'il demandait à partager son sort. Fouquier, à la réception de cette lettre, s'écria : « Ce monsieur est bien pressé ; mais je suis charmé de le satisfaire. » Fleury fut amené au tribunal, condamné et livré au supplice, revêtu d'une chemise rouge comme assassin de Collot d'Herbois.
2. Fouquier-Tinville plaisantait au milieu de ses horribles fonctions. Un vieillard paralysé de la langue ne pouvait répondre aux questions qui lui étaient faites. Fouquier apprenant la raison de son silence répondit : « Ce n'est pas sa langue qu'il me faut, c'est sa tête. »

LE DÉSESPOIR DU PEUPLE
CONTRE LES AGIOTEURS

Paroles de L.-A. Pitou
Sur l'air du Réveil du peuple

Au lendemain de Thermidor, la réaction se met en place dans un climat politique d'une confusion extrême. Les hommes au pouvoir veulent effacer tout souvenir de l'œuvre du Comité de salut public. Dans le domaine économique, le maximum général est aboli le 24 décembre 1794. La circulation des grains redevient libre, mais la crise économique s'aggrave : le cours de l'assignat s'effondre, les prix grimpent et la spéculation sur les denrées de première nécessité se développe. Les conséquences sociales sont dramatiques surtout dans les milieux populaires où la disette s'installe, encore augmentée par les rigueurs de l'hiver. Au printemps 1795, les sans-culottes sont dans la rue et menacent le pouvoir. Cette chanson vengeresse est l'œuvre d'un royaliste, Pitou, qui avait déjà, pour déconsidérer les jacobins, outré leurs positions dans *L'Ami du peuple*, contrefaçon de celui de Marat. De toute manière, la gauche et la droite se rejoignaient dans la condamnation des profiteurs de la Révolution.

SOURCE : *Recueil de chansons* (anonyme, Paris, B.N.) (Pierre 1779). Musique : Capelle 941, voir p. 167.

Fils de Pélops et de Tantale[1],
Homicides agioteurs,
Faites une fête royale.
De notre sang et de nos pleurs.
Le malheur présent nous l'atteste,
Nous n'avons rien à ménager ;
Amis, le désespoir nous reste,
Il suffira pour nous venger.

Dans les palais et les chaumières,
Chez les plus simples artisans,
J'aperçois des hordes courtières
Ou de changeurs ou de marchands.

Voilà l'affreuse perspective,
Que nous offre aujourd'hui le sort.
Nous n'avons d'autre alternative,
Que le désespoir ou la mort.

Tu dis que le Peuple sommeille,
Depuis trop longtemps, il s'endort.
Il faut enfin qu'il se réveille,
Pour sonner l'heure de ta mort.
Il est temps que le voile tombe,
De ses yeux trop peu clairvoyants,
Et qu'il ouvre une même tombe,
Pour les voleurs et les tyrans.

Quoi ! c'est donc peu, riche vandale,
Que le peuple ait subi ta loi,
Par l'ordre d'un Sardanapale,
Il faudra qu'il accepte un roi !
Dans cette nouvelle Caprée[2]
Où tu spécules ses projets,
Qu'il porte la coupe d'Atrée[3]
Pour t'y faire boire à longs traits.

Ne pas enchaîner ces furies,
Trop impuissants législateurs,
De ces dévorantes harpies,
C'est vous montrer les protecteurs.
Votre liberté du commerce,
Sera votre premier bourreau,
Et le scélérat ne l'exerce,
Que pour creuser votre tombeau.

Vas-tu dans l'odieux repaire,
Où chacun se disant marchand,
T'accoste et, d'un air de mystère,
Te dit : Vendez-moi votre argent.
Donne-lui, mais, par représailles,
Il faut qu'il te donne son sang.
Plonge ce fer dans ses entrailles,
Et cache ton or dans son flanc.

Tu veux donc de l'argent, barbare ?
J'en vais jeter dans le creuset.
Avant de descendre au Ténare[4],
Tu le recevras pur et net.
La mort va terminer mes peines,
Je t'abandonne mon trésor,
Mais je veux couler dans tes veines
Les restes vengeurs de mon or.

Dès l'aube, je fuis mon asile,
Où six enfants sur leurs grabats
Me crient d'une voix débile[5],
Papa, du pain ou le trépas.
Ils n'ont plus qu'un souffle de vie,
Le soir vient, je n'ai point de pain.
Ce fer qui vengea la Patrie
Me sert à leur percer le sein !

Affameur, voilà tes victimes,
Voilà leur père et leur bourreau !
Elles sont six, compte mes crimes,
Mais j'en veux commettre un
[nouveau.
Enfin dans ton cœur homicide,
J'ai plongé ce fer tout entier !
Allons dans mon sein parricide,
Qu'il suive le même sentier.

---

1. Fils de Tantale, roi de Phrygie, Pélops fut offert en festin aux dieux par son père. Zeus le ressuscita. Il épousa Hippodamie, la fille du roi d'Élide après avoir gagné la course organisée par son père pour confondre les prétendants à la main de sa fille. Il conquit l'Arcadie. — **2.** Capri, île où Tibère se livrait à ses débauches. — **3.** Atrée avait fait boire à Thyeste, son frère, le sang de ses enfants. Cette légende mythologique avait inspiré le génie tragique de Crébillon père (1707). — **4.** Voir note 1, p. 168. — **5.** Faible.

HYMNE DU 10 AOÛT

Paroles de M.-J. Chénier
Musique de Catel

A partir du 10 thermidor an IV, le 14 juillet et le 10 août sont commémorés le même jour au cours d'une cérémonie nationale. « En évoquant le 14 juillet et le 10 août, écrit J.-F. Grelier, député à la Convention, nous n'avons pas pour but de célébrer l'effusion du sang et la punition des coupables. Nous nous efforçons au contraire de les éloigner de notre mémoire pour ne pas empoisonner la joie pure que nous inspirent les triomphes de la liberté. » On commémore la jeunesse de la Révolution, si belle avant la Terreur : dans un mouvement unanime, le peuple part à l'assaut de la monarchie. Les deux événements se complètent même si le 10 août pèse d'un poids tragique qui ternit l'allégresse du 14 juillet.

SOURCE : *Poésies nationales ou recueil complet des chants* (anonyme, Versailles, B.M.) (Pierre 103).

UN BARDE

Jeunes guerriers, troupe immortelle,
Mêlez vos accents à ma voix :
Français, le Barde vous appelle ;
Avec lui chantez vos exploits.
Célébrons aujourd'hui la fête,
La fête du peuple vainqueur ;
Jamais si brillante conquête
N'a couronné notre valeur.

Jour de liberté, jour de gloire,
Qui du peuple a fondé les droits,
Vingt siècles étonnés chanteront la victoire
Que tu remportas sur les rois.

TROIS GUERRIERS *(à voix basse)*

Ô nuit paisible, nuit profonde,
Entends nos vœux, arme nos bras ;
C'est pour la liberté du monde
Que nous préparons des combats.
Demain nous sauverons l'empire,
Priez, femmes, vieillards, enfants ;
Demain, le Louvre où l'on conspire
Entendra ces cris triomphants.

LE CHŒUR

Jour de liberté, etc.

FEMMES, VIEILLARDS, ENFANTS

Si l'homme libre est ton ouvrage,
Grand Dieu, veille sur nos remparts ;
Des tyrans et de l'esclavage
Renverse les vils étendards.
La royauté, dans les ténèbres,
Reçoit d'homicides serments ;
Mais déjà les tocsins funèbres
Ont sonné ses derniers moments.

LE CHŒUR

Jour de liberté, etc.

TOUS LES BARDES

Triomphez, liberté ! patrie !
Il est tombé ce noir cyprès,
Dont la feuille antique et flétrie
Attristait nos jeunes forêts ;

Et sur le débris monarchique
De ses rameaux contagieux,
Les palmes de la République
Élèvent leur front jusqu'aux cieux.

LE CHŒUR

Jour de liberté, etc.

DÉCLARATION
DES DROITS DE L'HOMME

Anonyme
Sur l'air : « Philis demande son portrait »

En 1791, F. Marchant avait célébré à sa manière (p. 61) les droits de l'homme. En mai 1793, Robespierre proposa que la Déclaration de 1789 fut complétée par quatre articles qui définissaient le droit de propriété et le droit au travail. La Constitution de l'an III (août 1795) contenait également un code abrégé de morale individuelle et sociale présenté sous forme de Déclaration des devoirs.

SOURCE : *Nouveau chant patriotique* (anonyme, Paris, B.N.) (Pierre 1238). Musique : Capelle 449 ; air d'Albanèse, voir p. 75.

Oui, tous les hommes sont égaux,
  Et leurs droits sont les mêmes ;
On ne distingue les héros
  Qu'à leurs vertus suprêmes ;
Mais la loi qui vous pèse tous
  Dans sa juste balance,
Mortels, ne doit mettre entre vous
  Aucune différence.

Vivre libre est le premier bien,
  Aux champs comme à la ville,
Partout on doit du citoyen
  Respecter l'humble asile.

Qu'un vil tyran ose tenter
  D'en faire sa victime.
Il peut s'armer et résister
  A quiconque l'opprime.

Je puis désormais en tout lieu,
  Fidèle à ma croyance,
Adorer et servir mon Dieu
  Suivant ma conscience ;
Ferme dans mon opinion,
  Et sans crainte des pièges,
Braver de l'inquisition
  Les fureurs sacrilèges.

1796

HYMNE A LA FRATERNITÉ

Paroles de Cammaille-Aubin
Sur l'air : « L'heure avance où je dois mourir »

La Fraternité fut rarement étudiée par les historiens de la Révolution (M. David in *L'État de la France pendant la Révolution*, sous la direction de M. Vovelle, Paris, 1988, p. 454), bien que cette notion imprègne toute la période de 1789 à 1799 et même d'autres épisodes révolutionnaires que la France connut au XIXe siècle. De 1789 à 1792, elle est l'un des fondements du processus révolutionnaire, complétant les notions de liberté et d'égalité. Sous la Convention thermidorienne et le Directoire, elle sert à légitimer le discours des républicains cherchant en elle un moyen de créer l'égalité sociale. Toutefois, comme l'écrit l'auteur de cette chanson, la fraternité, en tissant des liens entre les hommes, peut aussi faire le jeu des contre-révolutionnaires. Cet hymne est, à sa manière, une mise en garde.

Source : *Le Messager du Soir* (29 nivôse an IV, 19 janvier 1796) (Pierre 1804). Musique : Capelle 837 ; air de la *Soirée orageuse*, opéra-comique de Dalayrac (1790).

Français, il est temps de fixer
Le bonheur au sein de la France.
Il est permis de respirer
Après tant de soins, de souffrance.
Étouffons nos ressentiments
Au fond de notre âme attendrie.
De l'amitié brûlons l'encens
Sur les autels de la Patrie.

Soyons justes, soyons humains,
Dans les hommes voyons nos frères.
En nous créant républicains,
Dieu ne nous fit pas sanguinaires.
La clémence et la liberté
Marchent toujours de compagnie,
Les amis de l'humanité sont les amis de la Patrie.

Si de chacun on fait le bien,
Qu'importe comment on nous nomme.
Le titre de républicain
N'est accordé qu'à l'honnête homme.
Distinguons le bon du méchant,
Sans passion, sans frénésie,
Surtout secourons l'indigent,
Nous saurons aimer la Patrie.

Guerre à mort à l'agioteur[1],
Il a juré notre ruine.
Ses mains agitent, sans pudeur,
Le sceptre affreux de la famine.
Il vend au poids de la douleur,
Le droit de prolonger la vie.
Point de grâce à l'agioteur,
C'est l'assassin de la Patrie.

Des anarchistes intrigants
Plongeons dans le mépris la race.
Des royalistes insolents
D'un coup d'œil abattons l'audace.
D'une main frappons l'assassin,

De l'autre l'aristocratie.
« Plus de Roi, plus de jacobin »,
Voilà le cri de la Patrie.
Salut et Santé.

1. Spéculateur.

Chansons critiquant
la religion catholique

Ces deux chansons ne remettent pas en cause les fondements de la religion catholique, même si toutes deux affirment l'existence d'une morale républicaine qui conteste la primauté, jusque-là incontestée, de la morale chrétienne. Mais le rituel est ici, sans indulgence, tourné en dérision car il est devenu, avec la complicité du clergé, un instrument de la contre-révolution. Discours classique, déjà en place à la veille de la Révolution qui critique l'Église comme institution et renvoie à l'idée d'une religion civique, épurée, conforme au Dieu des Philosophes.

Source : 1) *Le Bon-homme Richard* (13 pluviôse an IV, 2 février 1796) (Pierre 1808). Musique : Capelle 742 ; *La Belle au bois dormant* ; air de Doche. — 2) *Le Bon-homme Richard* (2 ventôse an IV, 21 février 1796) (Pierre 1810). Musique : Capelle 304 ; voir p. 146.

1. LES DANGERS
DE LA CONFESSION

Anonyme
Sur l'air : « Mon père, je viens devant vous »

Andante

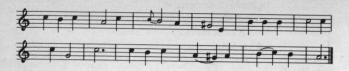

On lit dans un journal chrétien
Et soi-disant apostolique,
Que pour être bon citoyen,
L'an quatre de la république, *(bis)*
Aux pieds d'un prêtre *(bis)*
                [il faut encor
Décliner le *confiteor*. *(bis)*

Pour moi, je ne souffrirai pas
Qu'un tartuffe, à travers sa grille,
Dénombre les secrets appâts
De mon épouse ou de ma fille, *(bis)*
Et sans pudeur, *(bis)* lui fasse encor
Détailler son *confiteor*. *(bis)*

On ne se confessait qu'à Dieu
Dans les premiers temps de l'église,
Jean Bouche-d'or[1], en plus d'un lieu,
L'a dit d'une façon précise. *(bis)*
A quel propos, *(bis)* vient-on encor
Commander le *confiteor* ? *(bis)*

A la morale de Jésus,
Républicains, soyons fidèles ;
Mais, sans rappeler les abus
Des superstitions cruelles, *(bis)*
Un franc *Pater* *(bis)*
                [vaut mieux encor
Que cent mille *confiteor*. *(bis)*

Chaque jour, à Dieu qui voit tout,
Je déroule ma conscience,
Et quand il me souffre debout

Prêtre imposteur ! par préférence *(bis)*
A tes genoux *(bis)* irai-je encor
Marmonner mon *confiteor* ? *(bis)*

Ce frein caché vaut-il la loi
Qu'à découvert *Thémis* applique ?
Non, car un larron, plein de foi,
Retourne à son vol méthodique. *(bis)*
Certain qu'il est *(bis)* d'en être encor
Quitte pour un *confiteor*. *(bis)*

Mais veut-on savoir en passant,
Ce qu'à se confesser on gagne ?
Qu'on réfléchisse en frémissant
A l'inquisition d'Espagne ; *(bis)*
Ce monstre affreux, *(bis)*
                [qui vit encor
Est fille du *confiteor*. *(bis)*

Le plus subtil des trébuchets[2]
Que tend le royalisme en France,
Est l'entre-deux des noirs guichets
Du tribunal de pénitence. *(bis)*
Gouvernement *(bis)* naissant encor,
Prends bien garde au *confiteor*. *(bis)*

Tel te dit tout haut : *pax tecum*,
Qui, dans le tuyau de l'oreille,
Avec des *Domine salvum*
Contre toi conspire à merveille. *(bis)*
Jusqu'à la paix *(bis)* surveille encor,
Les bureaux du *confiteor*. *(bis)*

C'est là qu'on prêche aux paysans
De ne point voler aux frontières ;
C'est là que l'on souffle aux enfants
De fuir les écoles primaires ; *(bis)*
Que de complots *(bis)* couvent encor
Sous le sacré *confiteor* ? *(bis)*

Des réfractaires scélérats,
Cette arme rapide et tacite,
A poignardé nos assignats
Et mis l'esprit public en fuite. *(bis)*
A *Decadi (bis)* qui nuit encor
Si ce n'est pas *confiteor* ? *(bis)*

Plus les saints canons ont dormi,
Plus il faut craindre leurs bordées...
Français, les Saint-Barthélemy,
Les Dragonnades, les Vendées[3] *(bis)*
Les rois enfin, *(bis)* peuvent encor...
Renaître du *confiteor* ! *(bis)*

J'aime Dieu, j'aime mon prochain,
Sans l'entremise d'un autre homme ;
Mais si jamais je suis romain,
Je veux qu'on m'aille dire à Rome...
(bis)
Je suis français, *(bis)* chrétien encor
Mais nargue du *confiteor* ! *(bis)*

---

1. Saint Jean Chrysostome (344-407), patriarche de Constantinople, exilé par l'impératrice Eudoxie, célèbre par son art de l'éloquence. — 2. Piège. — 3. Massacre de la Saint-Barthélemy au XVIᵉ siècle, dragonnades contre les protestants dans le Midi après 1685, guerre de Vendée : litanie des responsabilités de la Religion catholique dans les malheurs de la Patrie.

2. CHANSON SUR LE CARÊME

Paroles de Constant
Sur l'air : « La comédie est un miroir »

Maudit le cagot ennuyeux,
Qui vient me parler d'abstinence,
Je crois qu'il ferait beaucoup mieux
De me prêcher la patience ;
Car la largeur de mon habit,
Mes yeux creux, ma figure blême,
Prouvent assez, sans contredit
Que je me conforme au carême.
(bis)

De Rome autrefois les canons
Fixaient ce temps de pénitence ;
En France aujourd'hui des fripons,
Mettent le jeûne en permanence ;

En assignats l'on ne vend rien,
Si ce n'est pour un prix extrême ;
Aussi le juif et le chrétien,
Sont soumis ensemble au carême.
(bis)

Ô toi, sage gouvernement,
Du peuple remplis l'espérance ;
Il souffre, il se tait, languissant
Au sein même de l'abondance ;
Mais sur lui tu fixes les yeux,
Son bonheur est ta loi suprême,
Et bientôt sur un air joyeux,
Il chantera : plus de carême. *(bis)*

LE DÉLIRE DES RÉFRACTAIRES

Anonyme
Sur l'air des Dettes

A l'époque du Directoire, l'immoralité et la dépravation des mœurs, surtout à Paris, frappent les contemporains. Le culte catholique se remet peu à peu en place après l'épreuve de la déchristianisation. Le clergé « rouge » soutenu par le « nouveau Tiers » est violemment dénoncé par les vrais républicains qu'il a trompés. C'est l'époque où les prêtres réfractaires rentrent massivement en France et disputent les églises aux autorités religieuses des autres cultes.

SOURCE : *Recueil de chansons* (anonyme, Paris, B.N.) (Pierre 1855). Musique : Capelle 428 ; voir p. 39.

Réfractaires, ne craignez rien
Le nouveau Tiers vous veut du bien,
C'est ce qui vous console. *(bis)*
Mais tous les bons républicains
Connaissent vos mauvais desseins,
C'est ce qui vous désole. *(bis)*

Vous savez endormir les Grands,
Étant toujours des charlatans,
C'est ce qui vous console. *(bis)*
Mais le peuple est désabusé,
Pour vous le bon temps est passé
C'est ce qui vous désole. *(bis)*

Vous tâchiez par tous les moyens
De diviser les citoyens,
C'est ce qui vous console. *(bis)*
Mais vous n'abuserez jamais
Par vos trames les bons Français
C'est ce qui vous désole. *(bis)*

Blâmant les prêtres mariés,
Sur le bien d'autrui vous vivez,
C'est ce qui vous console. *(bis)*

Nous croyez-vous en vérité,
Dupes de votre chasteté ?
C'est ce qui vous désole. *(bis)*

Vous croyiez voir bientôt couler
Le sang que vous vouliez verser,
C'est ce qui vous console. *(bis)*
Mais ici l'on ne se bat plus
Pour le bon plaisir de Jésus,
C'est ce qui vous désole. *(bis)*

Pour rétablir la royauté
Vous avez fort bien débuté,
C'est ce qui vous console. *(bis)*
Mais n'ayant jamais réussi,
Tremblez pour vous cette fois-ci,
C'est ce qui vous désole. *(bis)*

Vous croyez, par tous vos projets,
Au serment n'être pas sujets,
C'est ce qui vous console. *(bis)*
Mais en voulant votre bonheur,
Le Tiers a fait votre malheur,
C'est ce qui vous désole. *(bis)*

Vous savez des dévotes gens
Tromper les faibles sentiments,
C'est ce qui vous console.
Oui, mais tôt ou tard, croyez-moi,
Ils verront la mauvaise foi,
C'est ce qui vous désole.

Les conformistes vous fuyez
Et les papistes vous suivez,
C'est ce qui vous console.
Mais quand les lois ne plaisent pas
Il faut ailleurs porter ses pas,
C'est ce qui vous désole.

Le concile national
Vaut bien moins que le bref papal,
C'est ce qui vous console.
Mais le soldat sans un canon
Saura vous mettre à la raison,
C'est ce qui vous désole.

Sur les émigrés vous comptez
Ainsi que sur les déportés
C'est ce qui vous console.
Mais tous vos souhaits sont déçus,
La République a le dessus,
C'est ce qui vous désole.

Royalistes, viles assassins,
Vous, prêtres, monstres inhumains,
Si rien ne vous console
Le Directoire est indulgent
Vous pouvez partir à l'instant
C'est ce qui vous désole.

Fanatiques, gens odieux,
Vous, royalistes furieux
Vous que rien ne console,
C'était du sang que vous vouliez
Mais vous vous trouvez étriller
C'est ce qui vous désole.

PÉTITION
adressée au Directoire exécutif par quelques
Chouans d'une commune où les autorités
ont été élues par la force du bâton des exclusifs

Anonyme
Sur différents airs

La menace royaliste pèse sur le gouvernement du Directoire pourtant à la recherche de l'équilibre politique. Au printemps 1796, des soulèvements éclatent dans les régions de l'Ouest, en Franche-Comté, Languedoc, Provence ; les armes arrivent d'Angleterre par la Suisse et l'Espagne. En mai 1796, B. Constant conseille à l'opposition de se rallier au gouvernement. La majorité s'élargit mais la propagande royaliste agite l'opinion publique à la veille des élections de l'an V.

SOURCE : *Rapsodies du jour* (nᵒ XI) (inconnu de Pierre). Musique : Capelle 678 (strophe 1) voir p. 61 ; 99 (strophe 2) ; 423 (strophe 3) ; 941 (strophe 4), voir p. 167, 30 (strophe 5). Nous ne reproduisons pas la musique.

Air de *La Croisée*

Pour nous donner les magistrats
Qui gouvernent notre commune,
Une troupe de scélérats
Nous écarta de la tribune ;
Et l'on fit les élections
Parmi les plus vils sans-culottes,
En chassant à coups de bâtons
  Tous les vrais patriotes. *(bis)*

Air : *Colin disait à Lise un jour*

De sénateurs ainsi promus
Qu'attendre, hélas ! de bon, de sage ?
Ils n'ont ni talents, ni vertus,
Et l'ignorance est leur partage.
  Sans aucun moyen
  Pour faire le bien,
Pourquoi les garder davantage ?

Air : *On compterait les diamants*

Des plus effrontés scélérats
Nous sommes tous les jours victimes,
Et sous les yeux des magistrats
On voit commettre mille crimes.
Ils ne font rien pour nous sauver
Des attentats de la licence,
Car il leur faut bien protéger
Ceux dont ils tiennent leur puissance.

Air du *Réveil du peuple*

Vous, qui gouvernez ma patrie,
Rendez la paix à nos climats ;
Délivrez-nous de l'anarchie,
En nous changeant nos magistrats ;
Renvoyez ces hommes atroces
Coupables de tous les forfaits ;
Faites que des bêtes féroces
Ne nous mordent plus désormais.

Le Directoire exécutif, faisant droit à cette pétition, écrivit aux magistrats :

Air : *Allez-vous-en, gens de la noce*

Allez-vous-en, troupe imbécile,
Et décampez de la Maison[1]
Et si vous troublez cette ville,
Nous vous mettrons à la raison.

LES MAGISTRATS

Quoi, tout de bon !

LE DIRECTOIRE

Oui, tout de bon.
Allez-vous-en, troupe imbécile
Et décampez de la maison.

---

1. La Maison commune, c'est-à-dire l'Hôtel de Ville.

COMPLAINTE DU ROYALISTE
BABEUF

Anonyme
Sur différents airs

G. Babeuf proposait une réorganisation de la société fondée sur la communauté des biens et des travaux. Il exposa son programme dans le « Manifeste des plébéiens » qui fut publié dans *Le Tribun du peuple* son journal, et prononcé à la tribune du Club du Panthéon. Pourchassé par le Directoire, décrété d'arrestation le 5 décembre 1795, il passe dans la clandestinité et organise le 30 mars 1796 la conspiration des Égaux qui doit renverser le Directoire et établir un régime communiste. Face à la propagande babouviste, le Directoire se divise. Babeuf multiplie les contacts mais les conjurés sont dénoncés à Carnot, l'un des directeurs, et Babeuf est arrêté avec les principaux chefs le 10 mai 1796. Il va de soi qu'il est aussitôt taxé de « royalisme » car il est encore malaisé d'avoir des ennemis à gauche.

SOURCE : *Rapsodies du jour* (n° 12) (Pierre 1861). Musique : Capelle 423 (strophe 1), voir p. 182 ; 12 (strophe 2), voir p. 108 ; 19 (strophe 3) ; 156 (strophe 4) ; 383 (strophe 5) ; 722 (strophe 6) ; 334 (strophe 7). Nous ne reproduisons pas la musique.

Air : *On compterait les diamants*

Un matin le tribun Babeuf,
Rassemblant son aréopage,
Aux héros de quatre-vingt-neuf
Tint, gravement, ce beau langage :
Le peuple, enfin las de souffrir
Et la famine et la misère,
Aujourd'hui préfère mourir,
Et nous charge de son affaire.

Air : *Daignez m'épargner le reste*

Égorgeons tous les sénateurs
Dont la sagesse nous consterne,
Égorgeons les cinq Directeurs
Sous qui la loi seule gouverne ;
Égorgeons les honnêtes gens
Et les riches que je déteste ;
Égorgeons tous les mécontents,
Ensuite, pour passer le temps,
Nous égorgerons le reste. *(bis)*

Air : *Voyage, voyage,
voyage qui voudra*

Concertons-nous avec prudence,
Au sein de nos conseils secrets.
Que tout le monde ignore en France
Où se fabriquent nos décrets.
Le peuple, notre maître,

Nous a, sans nous connaître,
Chargés de le venger,
    De tout changer.
Et si notre projet l'étonne,
Voici comment l'on s'y prendra :
    On s'agitera,
    On l'affamera
    Puis après cela,
    On l'enivrera...
Oui-da, oui-da, oui-da ;

On lui dira que... que... on lui dira
tout ce qu'on voudra : Nous affiche-
rons des projets de conservation des
propriétés, de respect à l'humanité ;
et, comme vous vous en doutez bien :

    Personne, personne,
    Personne n'y croira. *(ter)*

Air : *Du serin qui t'a fait envie*

Ne craignez pas, pour notre gloire
Qu'on soupçonne la vérité,
Ce n'est pas à nous faire croire
Que je mets de la vanité.
Sous la terreur courbons la France,
Que la mort marche sur nos pas !
Alors, qu'importe ce qu'on pense,
Pourvu que l'on ne parle pas. *(bis)*

Air : *Madeleine à bon droit passa*

Lorsque nous aurons, à loisir,
Renversé les projets des autres ;
Nous aurons le petit plaisir
De voir régner nous et les nôtres.
Que je voudrais être là !
Pour voir un peu comment ça fr'a.

Air des *Folies d'Espagne*

En écumant de rage et de colère,
Ainsi parla des Jacobins l'espoir ;
Croyant, déjà, de son cher
                            [Robespierre,
En le vengeant, ressaisir le pouvoir.

Air : *L'avez-vous vu*

    Il a voulu,
    Il n'a pas pu,
Conçoit-on sa disgrâce !
    Des Directeurs,
    Des Sénateurs,
    La tête reste en place ;
Au moment d'être exécuté,
Le projet fut déconcerté ;
S'il eût pu, ce qu'il a voulu,
    Le pauvre Rapsodiste,
        Dans ce moment,
        Bien sûrement
    Serait très quiétiste[1].

---

1. Théorie mystique dont on accusa Fénelon et Mme Guyon. Ici, le chansonnier joue sur les mots.

COUPLETS POUR LA PREMIÈRE
FÊTE DE LA LIBERTÉ
fixée au 9 thermidor an IV

Paroles de P.-E. Courtin le Jeune
Sur l'air du Chant du Départ

Entre 1795 et 1799, le Directoire veut sortir d'un long débat où la Convention s'était enlisée et fixer un plan des fêtes pour en codifier le déroulement. Aux grandes dates anniversaires de la Révolution viennent s'ajouter des commémorations passagères imposées par l'événement et l'illustration des vertus morales. Les journées des 9 et 10 thermidor célèbrent la fête du régime : deux trônes, l'un fleurdelisé décoré de l'inscription « Constitution de 1791 », le second voilé de noir orné de l'inscription « Constitution de 1793 » sont détruits puis remplacés par une statue de la Liberté.

SOURCE : *Le Rédacteur* (13 thermidor an IV, 31 juillet 1796) (Pierre 1830**). Musique : Capelle 335 ; *Chant du départ*, voir pp. 159-160.

Les Français sont debout, l'airain vomit la foudre[1] ;
    L'affreuse Bastille n'est plus,
Le trône est, à son tour, bientôt réduit en poudre ;
    Capet et les siens sont vaincus ;
    Ah ! quelle éclatante conquête !
    Nous recouvrons la liberté ;
    Elle est bien digne qu'on la fête ;
    Chantons cette divinité ;
    Ô Liberté ! sous ton empire,
    Nous jurons de vivre et mourir !
    Tu ravis tout ce qui respire ;
    Non, sans toi, point de vrai plaisir. *(bis)*

Sous le régime ancien, qu'étions-nous ? des esclaves,
    Jouets des caprices d'un roi ;
La valeur a brisé ces honteuses entraves ;
    Nos représentants font la loi ;
    Chassons loin de nous les alarmes :

Libres, nous pouvons respirer ;
Devant nos braves frères d'armes,
C'est aux despotes à trembler !
Ô Liberté ! etc.

Insensible aux attraits de l'aveugle Fortune
L'homme libre est bon citoyen ;
Il voit l'intérêt seul de la chose commune ;
Le bonheur de tous est le sien ;
Modeste au sein de la victoire,
Et ferme au milieu des revers,
Dans les vertus il met sa gloire :
Quel exemple pour les pervers !
Ô Liberté ! etc.

Au nom d'un dieu de paix, au nom d'un roi barbare,
Que de flots de sang ont coulé !
Des monstres échappés des gouffres du Ténare[2],
Sanctifiaient la cruauté ;
Mais à nos héros rien n'échappe ;
Leur bras imprime la terreur ;
Et des rebelles et du pape,
Elle pénètre au fond du cœur.
Ô Liberté ! etc.

Par de brillants exploits que publiera l'Histoire,
Nos guerriers préparent la paix ;
Ils sauront l'enchaîner au char de la Victoire,
Qui sourit toujours aux Français :
La Paix, de ses mains bienfaisantes,
Couronnera la Liberté ;
Contre nos armes triomphantes,
Que peut l'infâme royauté ?
Ô Liberté ! etc.

---

1. Métaphoriquement : le canon tire. — **2.** Voir la note 1, p. 168.

Chants
pour la fête de l'agriculture
(10 messidor an IV)

Le décret de brumaire an IV (automne 1796) ajoute aux commémorations nationales et aux commémorations passagères imposées par l'événement, des fêtes célébrant les vertus morales : Jeunesse, Époux, Reconnaissance et Victoire, Agriculture, Vieillesse. Ces fêtes d'âge et de saison ont lieu le premier décadi et accordent, en général, la célébration à la saison. Le calendrier nouveau a l'ambition de mettre de l'ordre dans les fêtes traditionnelles et de découper également l'année afin de répartir harmonieusement travail et loisir. Le système est resté incomplet, ne parvenant pas à réduire la surabondance des fêtes durant l'été.

SOURCE : 1) *Le Rédacteur* (8 messidor an IV, 26 juin 1796) (Pierre 1825**). Musique : Capelle 53, voir p. 117. — 2) *Le Rédacteur* (16 messidor an IV, 4 juillet 1796) (Pierre 1826*). Musique : Capelle 148.

1. L'HYMNE A L'AGRICULTURE
POUR LA FÊTE
DU 10 MESSIDOR AN IV

Paroles de Desforges
Sur l'air : « Avec les jeux dans le village »

Amis, courons tous à la fête
Que, dans ce jour consolateur,
La sage République apprête
A l'utile cultivateur.
Que l'essaim des cœurs l'environne ;
Qu'il soit l'objet des plus doux
[chants,
Et qu'on lui tresse une couronne
D'épis nés par lui dans nos champs !

Tandis que, versé pour la gloire,
Le sang de nos braves guerriers,
Du vaste champ de la victoire
Fait une forêt de lauriers,
Du laboureur la main prépare
Les moissons, leurs riches bienfaits ;
Le soc en silence répare
Bien des maux que le glaive a faits.

Elle approche l'heure si chère
Qu'appellent tous les cœurs français,
Où Mars, éteignant son tonnerre,
Disparaîtra devant la Paix.
Ouvrez-vous, âmes paternelles,
A l'espoir de voir vos enfants,
Que la gloire alors sur ses ailes,
Vous ramènera triomphants.

Alors, ces soldats invincibles,
A vous, à leur pays rendus,
Consacreront leurs mains paisibles ·
A ces champs par eux défendus.
Ainsi, l'un des sauveurs de Rome[1],
Après la guerre et son horreur,
Devint peut-être un plus grand
En redevenant laboureur.   [homme

Le chef d'une contrée immense[2],
Pressant le bœuf de l'aiguillon,
Consacrant ainsi sa puissance,
Traçait un auguste sillon.
Dieu dit au sol : « Deviens fertile,
Seconde l'homme et ses efforts. »
Et le sol, à sa voix docile,
A l'homme ouvrit tous ses trésors.

Grand Dieu ! père de la nature,
Reçois nos vœux et notre encens.
Tu nous donnas l'agriculture ;
C'est le plus beau de tes présents.
Ta bonté, toujours attentive,
Veilla sur un peuple guerrier :
Tu voudras bientôt que l'olive
Pour lui naisse enfin du laurier.

1. Cincinnatus. — 2. L'empereur de Chine conduisait la charrue en céré-monie pour honorer l'agriculture.

2. CHANT RURAL

Paroles de Revel
Sur l'air : « Des simples jeux de son enfance »

Trop heureux, s'ils savaient
                    [connaître
Le bonheur qui vient les chercher,
Les habitants d'un toit champêtre
Dont le souci n'ose approcher !
Loin du tumulte des affaires,
Et paisibles, comme leurs bœufs,
Sur l'antique champ de leurs pères
Ils vont s'exercer avec eux.

Enfants chéris de la nature,
Songez qu'il est d'autres humains !
Les trésors de l'agriculture
Sont un dépôt entre vos mains.
Quelle est douce la jouissance
De ceux que la nature a faits
Gardiens de son abondance,
Distributeurs de ses bienfaits !

La charrue autour d'elle attire
Les arts, fils de la liberté ;
Et le commerce vient sourire
A leur joyeuse activité :

Ils sont conduits par l'espérance ;
Et la justice, à poids égaux,
Pèse, dans sa ferme balance,
Les résultats de leurs travaux.

Pourquoi faut-il que le génie
De la discorde et des débats
Vienne troubler cette harmonie
Par la trompette des combats ?
Mais, la patrie a fait entendre
Sa voix... et ses amis d'offrir
Leurs bras nerveux, pour la
                    [défendre ;
Leurs épis d'or, pour la nourrir.

Ô toi, dont la main enflammée
Agite au milieu des éclairs,
La foudre qui n'est allumée,
Que pour instruire l'Univers...
Dieu puissant, calme le tonnerre...
Et que le souffle d'un vent frais
Fasse reconnaître à la terre
Ta bonté qui lui rend la paix !

EN L'HONNEUR DU JACOBINISME

Anonyme
Sur l'air : « Daignez m'épargner le reste »

Le Directoire fait la chasse à tous les extrémistes, royalistes et jacobins. A l'automne 1796, une centaine de révolutionnaires est déférée devant une commission militaire et condamnée à mort ou à la déportation. Dès 1795, on avait épuré les tribunaux et les assemblées administratives, excluant les anciens jacobins. Cette politique, inspirée par Carnot, C. Cochon de Lapparent, ministre de la Police, et Merlin de Douai, ministre de la Justice, retira au gouvernement le soutien des « révolutionnaires » sans lui apporter celui de la droite.

SOURCE : *Rapsodies du jour* (n° XXIV) (inconnu de Pierre). Musique : Capelle 12 ; sur l'air des *Visitandines* de Devienne, voir p. 108.

Depuis qu'à tous les jacobins
L'on déclare la guerre en France,
Ils s'en vont sur les grands chemins
Tenir en secret leur séance :
Ils donnent à leur président
Un sifflet au lieu de sonnette ;
C'est le signal du ralliement,
Quand ils vont à quelque passant...
Daignez m'épargner le reste. *(bis)*

Cette vérité, citoyens,
Doit-elle un moment vous
[surprendre ?
Ils n'ont changé que de moyens :
Ils volent, ne pouvant plus prendre.
Jadis, de leur autorité,
Ils punissaient un mot, un geste,
Mettaient à prix la liberté
Dans un infâme comité...
Qu'un autre vous dise le reste. *(bis)*

LE 18 FRUCTIDOR

Paroles de Lebrun-Tossa
Musique de Méhul

Les élections de germinal an V avaient ouvert entre les Conseils et le Directoire une grave crise politique et les royalistes majoritaires dans les deux assemblées s'apprêtaient à recourir à la force. Les Triumvirs les devancèrent. Le Directoire fit appel à l'armée contre les Conseils. Le 18 fructidor an V au matin (4 septembre 1797) Paris est occupé militairement, et Pichegru, chef royaliste, ainsi qu'une douzaine de députés sont incarcérés au Temple. Les Conseils votent le lendemain les mesures d'exception proposées par les Triumvirs (Barras, Reubell, La Revellière). L'événement vient s'ajouter à l'ensemble des commémorations. Dans l'éternel débat qui cherche à fixer un terme à la Révolution, s'opposent ceux qui proposent de remplacer le 9 thermidor par le 18 fructidor et ceux qui préfèrent l'oublier. Ses adversaires prétendent que cette dernière date souligne les divisions ; ses partisans, qu'on a écrasé ce jour-là une conspiration qui ouvre une ère de modération, ce que le 9 thermidor a manqué. L'événement réveille en tout cas l'inquiétude et bouleverse le calendrier des commémorations de l'an IV.

Source : *Le Rédacteur* (20 fructidor an VI, 6 septembre 1798) (Pierre 145).

Allegro moderato

Un vaste deuil couvrait la France,
La République périssait,
Ivre de sang et de vengeance,
Un nouveau maître s'avançait.
La liberté de son tonnerre,
Arme ses généreux enfants
Rentrez, rentrez dans la poussière,
(bis)
Troupeau d'esclaves insolents ! *(bis)*

Ils insultaient dans leur démence
Aux blessures de nos héros,
Et leur offraient pour récompense,
L'infamie ou les échafauds.
Les serments de l'armée entière
Se sont unis à nos serments

Rentrez, rentrez dans la poussière,
(bis)
Troupeau d'esclaves insolents ! *(bis)*

Artisans de la calomnie
Qui, dans vos infâmes écrits,
Sur la vertu, sur le génie,
Versiez l'opprobre et le mépris.
Du dard cruel de la vipère
Vous frappiez les Républicains.
Rentrez, rentrez dans la poussière,
(bis)
Troupeau d'esclaves insolents. *(bis)*

De nos aïeux rouvrant la tombe,
Le fanatisme a reparu.

191

Il demandait, pour hécatombe,
Esprit, raison, talents, vertu.
Vous qui sonniez l'heure dernière
Du dernier des Républicains
Rentrez, rentrez dans la poussière,
(bis)
Troupeau d'esclaves insolents. *(bis)*

Toujours vaincus, toujours perfides,
Et dans leur bassesse affermis,
Mille complots liberticides
Ont signalé nos ennemis.
Eh bien, s'ils appellent la guerre,
Républicains, serrez vos rangs,
Et faisons mordre la poussière,
Aux esclaves comme aux tyrans.

1797

L'ENTERREMENT DE LA PRESSE

Anonyme
Sur l'air des Fraises

D'octobre 1795 à septembre 1797, la presse est entièrement libre mais on discute, dans les conseils, le texte restrictif prévu par l'article 353 de la Constitution de l'an III. Le 19 fructidor an V (5 septembre 1797), une loi est votée qui soumet pour un an la presse à l'inspection de la police. Le 22, une autre ordonne la déportation des propriétaires, directeurs, auteurs et rédacteurs de quarante-quatre journaux et soumet la presse au droit de timbre, mesure déjà en vigueur en Angleterre et suggérée en France depuis 1789. Même si le gouvernement ne cesse de supprimer des journaux, la presse n'en est pas muselée pour autant : les imprimeries clandestines se multiplient et bien des feuilles ressurgissent avec un autre titre. Sous le Directoire, en juillet 1798, une commission où siègent L. Bonaparte, P.-L. Daunou et Cabanis proroge la loi du 19 fructidor qui n'est abrogée qu'en l'an VIII.

Source : *Rapsodies du jour* (n° 56) (Pierre 1903). Musique : Capelle 725 ; chanson ancienne.

De *Daunou* les bons amis[1],
Les sages de la Grèce,
Fatigués de nos écrits,
Ont mis enfin les esprits
Sous presse, sous presse, sous presse.

Daunou, dans son tribunal,
Veut qu'on aille à confesse.
Eh bien ! pour dire du mal,
On attendra germinal,
      Qui presse. *(ter)*

Je m'accuse, en bon chrétien,
Du péché de paresse ;
Forcé de dire du bien,

Je ne saurais mettre rien
      Sous presse. *(ter)*

Pour de petits à-propos,
Bien vite on nous redresse.
Mais c'est la faute des sots,
Si l'on met tant de bons mots
      Sous presse. *(ter)*

M'ôter mon pain quotidien
Avec tant de rudesse !...
Non, non, le Sénat Ancien
En cela ne verra rien
      Qui presse. *(ter)*

---

1. Daunou siège à la Convention et au Conseil des Cinq-Cents puis devient président de ces deux assemblées. Il fait un rapport suivi d'un projet de loi adopté sur les délits de la presse. Il propose l'établissement d'un journal officiel et la poursuite de la diffamation.

SUR LES INCROYABLES
ET LES IMPOSSIBLES

Paroles de Daru
Sur l'air : « La comédie est un miroir »

Au lendemain de Thermidor, la réaction politique s'accompagne d'une réaction sociale. La bourgeoisie trop longtemps soumise à l'austérité se livre à une frénésie de plaisirs. Les Incroyables et les Merveilleuses se signalent par des extravagances vestimentaires et des fantaisies de langage qu'ils affectent dans les salons où s'épanouit à nouveau la vie mondaine. Pour grossir la caricature et mieux ridiculiser cette fraction de la société, l'auteur joue ici sur les mots.

SOURCE : *Rapsodies du jour* (n° 61) (Pierre 1924). Musique : Capelle 304, voir p. 146.

Quand un merveilleux séducteur,
En bégayant vous peint sa flamme,
Jurant sa pa-ole[1] d'honneur,
Qu'il vous aime du fond de l'âme ;
Quand sa toilette, son maintien,
Semblent dire : Je suis aimable,
Jeune femme, songez-y bien ;
Ce jeune homme est un *Incroyable*.

Mais quand, pour voler chez Garchi,
Écrasant la foule éperdue,
Sur les ailes de son wiski[2],
Je vois Hortense demi-nue :

Son air grec[3], ses deux jolis bras,
Cette gaze, à peine visible,
Ses yeux, surtout, disent tout bas :
Madame n'est pas *Impossible*.

Jadis un fat, au moins, avait
L'air gai, l'œil vif et plein d'audace,
Quand une femme minaudait,
Elle minaudait avec grâce ;
Mais aujourd'hui nos jeunes gens,
Aveugles, bossus et risibles,
Semblent être les *impuissants*
De tant de femmes très *possibles*[4].

---

1. On sait que les Incroyables affectaient de ne pas prononcer la consonne r.
— 2. Cabriolet élevé et léger. — 3. La mode commençait d'être à la grecque.
— 4. Jeu de mots sur le côté efféminé des Incroyables et la légèreté des Merveilleuses.

CONSEIL DES CINQ-CENTS
(séance du 3 prairial)

Anonyme
Sur différents airs

Le 5 fructidor an III (22 août 1795), la Convention avait voté la nouvelle Constitution : elle fut appliquée jusqu'en 1797. Le pouvoir législatif était confié à deux conseils, celui des Cinq-Cents qui proposait les lois et celui des Anciens qui les examinait. Le pouvoir exécutif était confié à un Directoire de cinq membres. Cette chanson fut probablement composée au lendemain des élections de germinal an V (printemps 1797) où le premier tiers sortant des Conseils devait être renouvelé. L'antiparlementarisme relevait la tête.

SOURCE : *Rapsodies ou séances des deux conseils en vaudevilles* (n° 83) (inconnu de Pierre). Musique : Capelle 681 (strophe 1) ; 100 (strophe 2) ; 239 (strophe 3) ; 155 (strophe 4). Nous ne reproduisons que la musique de la strophe 1.

Un secrétaire, tenant à sa main plusieurs paquets, les décachète tous, et chante sur l'air : *A la façon de Barbari* :

Premier paquet
Comment veut-on que sans argent
    A l'État je fournisse ?

Deuxième paquet
Comment veut-on que sans argent
    Je rende la justice ?

Troisième paquet
J'ai fait trente pétitions
    Pour avoir quelques millions.

LE CONSEIL
La faridondaine, la faridondon.

Quatrième paquet
Pour tout l'argent qu'on m'a promis,
    Mes amis,
Je ne demande, qu'un *Louis*[1],
    Mes amis.

Un membre du nouveau tiers s'écrie :

Messieurs, il faut cependant s'arranger de manière à payer tous ces réclamants : ils paraissent assez raisonnables, et montrons-nous justes et sages, en faisant droit à leur demande. Ensuite il chante gracieusement sur l'air : *Colinette au bois s'en alla* :

Vous voyez que tous ces gens-là
Veulent par ci, veulent par là
    Ta la déridera,
    Ta la déridera,
Au lieu de bons et d'assignats,
D'inscriptions et de mandats,
    Ta la déridera,
    Ta la déridera,
Un simple *Louis* qui saura
Payer leurs frais, *et cœtera*,
    Le tout sans réplique,
    Ta déridera,
  La, la, la, la, la, la, la,
    Peut-on refuser ça ?
        C'est pour sauver la
            République,
        Faisons donc cela.

Cette proposition a été ajournée. Ensuite sur l'air : *J'ai perdu mon âne* :

On frappe à la porte, *(bis)*
Berthollet[2] s'y porte. *(bis)*
Soudain entre avec appareil,
Un homme qui pour le Conseil
Un paquet apporte. *(bis)*

Le président, après avoir rompu le cachet directorial, s'adresse aux habitués des tribunes, brodeurs, tricoteuses et autres, leur chante modestement sur l'air : *Du haut en bas* :

Du haut en bas,
Messieurs, descendez la tribune ;
Du haut en bas,
Deux fois, qu'on ne le dise pas,
Votre présence est importune,
Et cette affaire est peu commune,
Du haut en bas.

On sort et le Conseil se forme en comité général. C'est le premier depuis la nouvelle législature.

---

1. Équivoque sur la monnaie et le monarque ; de même, plus bas. — 2. Célèbre chimiste, l'un des fondateurs en 1794 de l'École polytechnique, il participa aux assemblées sous le Directoire, le Consulat et l'Empire.

HYMNE FUNÈBRE SUR LA MORT DU GÉNÉRAL HOCHE

Paroles de M.-J. Chénier
Musique de Cherubini

Louis-Lazare Hoche, l'enfant chéri de la Révolution, fit une brillante et rapide carrière militaire brusquement interrompue à l'âge de vingt-neuf ans. Nommé, en février 1797, commandant de l'armée de Sambre-et-Meuse, il est ramené avec ses troupes en juillet de la même année dans la région parisienne sous prétexte d'une nouvelle expédition en Grande-Bretagne. On l'appelle en réalité pour monter une opération contre les royalistes, mais le projet échoue. Il rentre à son quartier général de Wetzlar où il meurt le 19 septembre 1797. De maladie ou victime d'un empoisonnement ? Le mystère n'est pas élucidé. Cet hymne fut chanté au Champ-de-Mars lors de la cérémonie funèbre organisée à sa mémoire, le 10 vendémiaire an VI (1er octobre 1797). Commémoration passagère imposée par l'événement et ajoutée au calendrier des fêtes révolutionnaires comme la fête funèbre en l'honneur du général Joubert en 1799 où l'œuvre de Cherubini fut réutilisée sur un autre texte.

Source : *Journal de Paris* (12 vendémiaire an VI, 3 octobre 1797) (Pierre 131).

LES JEUNES FILLES

Du haut de la voûte éternelle,
Jeune héros, reçois nos fleurs !
Que notre douleur solennelle *(bis)*
T'offre des hymnes et des fleurs. *(bis)*
Ah ! sur ton urne sépulcrale, *(bis)*
Gravons ta gloire et nos regrets !
Et que la palme triomphale *(bis)*
S'élève au sein de tes cyprès.

LES VIEILLARDS

Aspirez à ses destinées,
Guerriers défenseurs de nos lois !
Tous ses jours furent des années, *(bis)*
Tous ses faits furent des exploits, *(bis)*
La mort qui frappa sa jeunesse *(bis)*
Respectera son souvenir.
S'il n'atteignit point la vieillesse, *(bis)*
Il sera vieux dans l'avenir.

LES GUERRIERS

Sur les rochers de l'Armorique[1]
Il terrassa la trahison.
Il vainquit l'hydre fanatique[2], *(bis)*
Semant la flamme et le poison. *(bis)*
La guerre civile étouffée *(bis)*
Cède son bras libérateur,
Et c'est là le plus beau trophée *(bis)*
D'un héros pacificateur.

CHŒUR DES GUERRIERS

Oui tu seras notre modèle,
Tu n'as point terni, tu n'as point terni les lauriers.

Ta voix libre, ta voix fidèle *(bis)*
Est toujours présente aux guerriers. *(bis)*
Au champ d'honneur on vit ta gloire, *(bis)*
Ton ombre au milieu de nos rangs ⎫
Saura captiver la victoire   ⎬ *(bis)*
Et punir encore les tyrans.   ⎭

---

1. Il repoussa le débarquement tenté par les Anglais et les émigrés à Quiberon le 21 juillet 1795. — **2.** Allusion à ses victoires sur les royalistes. Lors du débarquement de Quiberon, il fit fusiller 748 émigrés sur ordre de la Convention.

LE CHANT DU RETOUR
Hymne pour la paix

Paroles de M.-J. Chénier
Musique de Méhul

Le 18 octobre 1797, le traité de Campoformio met fin à la guerre entre la France et l'Autriche. Le Directoire, ne pouvant que s'incliner, ratifie le traité le 26 octobre. La France est épuisée, la joie éclate à l'annonce de la paix avec l'Autriche, même si la guerre continue sur mer contre l'Angleterre. Cet hymne, pastiché du *Chant du Départ*, fut chanté au palais du Luxembourg, siège du Directoire, le 20 frimaire an VI (10 décembre 1797), et mis en scène au théâtre des Arts le 19 décembre suivant.

Source : *Le Moniteur* (22 frimaire an VI, 12 décembre 1797) (Pierre 136).

LES GUERRIERS

Contemplez nos lauriers civiques,
L'Italie a produit ces fertiles moissons.
Ceux-là croissaient pour nous au milieu des glaçons.
Voici ceux de Fleurus, ceux des plaines belgiques[1]
Tous les fleuves surpris nous ont vus triomphants,
Tous les jours nous furent prospères.
Que le front blanchi de nos pères,
Sois couvert des lauriers cueillis par leurs enfants.

Tu fus longtemps l'effroi,
Sois l'amour de la terre,   } *(bis)*
Ô République des Français
Que le chant des plaisirs succède aux cris de guerre
La victoire a conquis la paix. (*répéter deux fois après le bis*)

LE CHŒUR

Tu fus longtemps l'effroi,
Sois l'amour de la terre,   } *(bis)*
Ô République des Français.
Que le chant des plaisirs succède aux cris de guerre
La victoire a conquis la paix. (*répéter deux fois après le bis*)

Chers enfants, la tombe des braves
Réclame ces lauriers moissonnés par vos mains.
Vos frères, comme vous, ont vaincu les Germains,
Délivré les Toscans, les Belges, les Bataves.
Au séjour des héros[2] parvenus avant nous
Ils y tiennent vos palmes prêtes,
Leurs mânes[3] célèbrent nos fêtes,
Unis à nos concerts, ils chantent avec nous.
Tu fus longtemps l'effroi,
Sois l'amour de la terre,   } *(bis)*
Ô République des Français ;
Que le chant des plaisirs succède aux cris de guerre
La victoire a conquis la paix. (*répéter deux fois après le bis*)

LES JEUNES FILLES

Guerriers, votre dot est la gloire.

LES GUERRIERS

Unissons par l'hymen et nos mains et nos cœurs.

LES JEUNES FILLES

Et l'hymen et l'amour et le prix des vainqueurs.

LES GUERRIERS

Formons d'autres guerriers, léguons-leur la vie,

Qu'un jour à leurs accents, à leurs yeux enflammés,
On dise : Ils sont enfants de braves.
Que sourds aux tyrans, aux esclaves,
Ils accueillent toujours la voix des opprimés.
Tu fus longtemps l'effroi,
Sois l'amour de la terre,   } *(bis)*
Ô République des Français.
Que le chant des plaisirs succède aux cris de guerre,
La victoire a conquis la paix. (*répéter deux fois après le bis*)

LE CHŒUR

Grand Dieu, c'est ta main qui dispense
La gloire et la vertu, bienfaits dignes du ciel.
La victoire descend de ton trône éternel,
Par toi la liberté vient luire sur la France,
N'éteins pas, Dieu puissant, ses rayons précieux.
Que d'âge en âge, la Patrie
Soit libre, puissante et chérie
Et que nos descendants bénissent leurs aïeux.
Tu fus longtemps l'effroi,
Sois l'amour de la terre,   } *(bis)*
Ô République des Français.
Que le chant des plaisirs succède aux cris de guerre,
La victoire a conquis la paix. (*répéter deux fois après le bis*)

LE CHŒUR *(bis)*

---

1. Belges. — **2.** Les Champs Élysées païens où se retrouvent les héros, selon Homère et Virgile. — **3.** Voir note 1, p. 157.

LE CHANT DES VENGEANCES

Paroles et musique de Rouget de Lisle

L'auteur n'a pas signalé à quelle époque de l'année il composa cette œuvre. Elle fit l'objet d'une mise en scène dès le 28 frimaire an VI (18 décembre 1797) comme d'autres chants révolutionnaires. Auparavant, on la chanta à un banquet civique célébrant la victoire. Rouget de Lisle se souvient de « sa » *Marseillaise*.

Source : *L'Ami des lois* (4 nivôse an VI, 24 décembre 1797) (Pierre 137).

Aux armes ! Qu'au chant de la paix,
Succède l'hymne des batailles :
Aux armes ! Loin de nos murailles,
Précipitons nos rangs épais.
Qu'importe l'Europe vaincue ?
Qu'importe la foule éperdue
De ces rois tremblants devant nous ?
La paix nous est-elle permise ?
L'affreux brigand de la Tamise
N'a point succombé sous nos coups !

C'est lui qui, des peuples armés,
Soudoya les hordes serviles :
Par lui, de nos guerres civiles,
Les flambeaux furent allumés.
Des bourreaux de notre patrie,
Son or suscita la fureur,
Sa main aiguisa les couteaux :
Nos revers, notre aveugle rage,
Nos crimes, tout fut son ouvrage ;
De la France il fit tous les maux.

Et tant de forfaits impunis
N'auraient pas enfin leur salaire !
Et les fiers enfants de la guerre
A ce point seraient avilis !
Mânes sanglants ! pâles victimes !
Ombres chères et magnanimes

Des braves morts dans nos combats,
Vos exploits ont sauvé la France :
Aux Français vous criez vengeance,
Et vos cris ne l'obtiendraient pas !

Vengeance ! jusques aux deux mers,
Que ce cri sacré retentisse !
Vengeance ! Nous ferons justice
A Londres, à nous, à l'univers.
Artisan des malheurs du monde[1],
Trop fier dominateur de l'onde,
En vain crois-tu nous échapper :
Sur tes rochers inaccessibles,
Le géant, de ses bras terribles,
Va te saisir et te frapper.

Vainqueurs d'Hunscoot, de
                        [Wissembourg,
Héros de Fleurus et d'Arcole,
Triomphateurs du Capitole,
De Quiberon, de Luxembourg !
Nous tous, fils de la République,
Sous les drapeaux de l'Italique[2]
Joignons nos saints ressentiments ;
Sûrs, malgré les flots, les tempêtes,
D'atteindre les coupables têtes
Que vont dévouer nos serments.

---

1. L'Angleterre, évidemment. — 2. La première campagne d'Italie, menée par les armées de Bonaparte en 1796, annonce d'aventures nouvelles.

_1798_

ANNIVERSAIRE DU 14 JUILLET
célébré le 26 messidor an VII de la République

Paroles de Perrin
Sur l'air du vaudeville des Visitandines

A compter de l'an IV, le 14 juillet est inscrit au calendrier des commémorations nationales et célébré le même jour que le 10 août. En 1798, une brillante cérémonie eut lieu au Champ-de-Mars où le peuple se rassembla autour d'un autel de la Patrie. Mais aucune œuvre importante ne fut composée pour cet événement, hormis le chant pour la fête de la Fédération composé par Gossec sur des paroles de M.-J. Chénier (p. 49).

SOURCE : *Recueil de chants* (anonyme, Paris, B.N.) (Pierre 2066). Musique : Capelle 863 ; voir p. 92.

Peuple français, cette journée
Fut le triomphe de nos lois !
Aux yeux de la terre étonnée,
Nous avons reconquis nos droits.
>> *(bis)*

N'écoutant que notre courage,
Le despote fut renversé ;
L'étendard de la Liberté,
Fit disparaître l'esclavage. *(bis)*

A LA LIBERTÉ

Reçois notre sincère hommage,
Auguste et sainte Liberté !
Qui t'aime bien sent davantage
Tout le prix de l'Égalité. *(bis)*

Des traîtres, de ces vils esclaves,
Le règne va bientôt finir.
Vivre libre ou cent fois mourir,
Voilà le serment de nos braves. *(bis)*

AUX GUERRIERS FRANÇAIS

Salut à nos guerriers prospères !
Gloire aux Défenseurs de nos lois !
Haine aux tyrans, paix aux
>> [chaumières,
C'est l'arrêt trop fatal des rois. *(bis)*
Bientôt une immortelle gloire
Va ceindre leur front de laurier ;
Et le bonheur du monde entier,
Sera le prix de la victoire. *(bis)*

AUX HÉROS MORTS POUR LA LIBERTÉ

Des guerriers morts pour la Patrie,
Vengeons le trépas glorieux.
Non, ce n'est pas perdre la vie
Que de la terminer comme eux. *(bis)*
Soutiens d'une mère chérie,
Mânes[1], recevez notre encens !
Comme vous, de tous les tyrans,
Nous détestons la perfidie. *(bis)*

A L'ÉTERNEL

Toi, qui sur toute la Nature
Déploies tes immenses regards,
Toi, qui partages notre injure,
Grand Dieu, guide nos étendards !
(bis)
Nous n'implorons pas ta vengeance,
Contre nos cruels ennemis ;
Déjà dans nos mains tu remis
Le soin de notre indépendance. *(bis)*

---

1. Voir note 1, p. 157.

CHANT DU 1er VENDÉMIAIRE AN VII

Paroles de M.-J. Chénier
Musique de Martini

Le 22 septembre, date anniversaire de la fondation de la République, est ajouté au nombre des commémorations nationales par le décret du 3 brumaire an IV qui fixe le calendrier des fêtes. En 1798, au Champ-de-Mars, des défilés militaires et des courses lui donnent un éclat inhabituel. A la fin du Directoire, elle fait donc partie, avec le 14 juillet et le 10 août, des commémorations indiscutables dont la solennité, sans équivoque, ne réveille aucune angoisse.

Source : *Poésies nationales ou recueil complet de chants* (Versailles, B.M.) (Pierre 146).

LES BARDES

Que nos voix, nos lyres altières,
Célèbrent ce jour glorieux !
De ses drapeaux injurieux
L'ennemi souillait nos frontières ;
Il méditait d'affreux succès ;
Ses foudres menaçaient nos têtes :

204

La République des Français
Jaillit du milieu des tempêtes.

LE CHŒUR

Debout, vrai souverain ! lève un front respecté.
Les humains ne sont grands que par l'égalité.

LES GUERRIERS

Dans la France encore monarchique
Des rois ligués tonnait l'airain[1] ;
Sénat, au nom du souverain,
Tu proclamas la république,
Les Rois fléchirent les genoux,
Leur honte appartient à l'histoire.

LE CHŒUR

Debout ! etc.

LES BARDES

Guerriers, libérateurs rapides
Du Rhin, du Tibre et du Texel[2],
Sans doute un pouvoir immortel
Dirigeait vos mains intrépides.
Quel Dieu vous guidait à Fleurus
Et sur le pont sanglant d'Arcole ?
Avec vous, pour venger Brennus[3],
Quel Dieu montait au Capitole ?

LE CHŒUR

Debout ! etc.

LES GUERRIERS

La patrie a fait ces miracles ;
C'est son nom qui nous rend vainqueurs ;
Sa voix sainte enflamme nos cœurs
Et ses décrets sont nos oracles.
Qui sait tout lui sacrifier,

Aux revers est inaccessible.
On peut vaincre un peuple guerrier.
Un peuple libre est invincible.

LE CHŒUR

Debout ! etc.

LES VIEILLARDS ET LES MÈRES DE FAMILLE

Enfants qu'élève la patrie,
Ce jour a vengé vos aïeux :
Gardez le dépôt précieux
De notre liberté chérie.
Les tyrans et les imposteurs
Vainement sont armés contre elle ;
Cimentez les lois par les mœurs,
Et vous la rendrez immortelle.

LE CHŒUR

Debout ! etc.

CHŒUR GÉNÉRAL

Ô raison ! puissance éternelle,
Pour les humains tu fis la loi :
Ils étaient égaux devant toi,
Avant d'être égaux devant elle.
L'œil des cieux, décrivant son cours,
Nourrit la nature embellie :
Comme lui, répands tous les jours
Les feux, la lumière et la vie.

LE CHŒUR

Debout ! etc.

---

1. Le canon. — **2.** Ile au nord de la Hollande. — **3.** Chef gaulois qui envahit l'Étrurie et conquit Rome en 390 avant notre ère.

1799

RONDE POUR LA PLANTATION DE L'ARBRE DE LA LIBERTÉ

Paroles de Mahérault
Musique de Grétry

Le 7 pluviôse an VII (26 janvier 1799), les jacobins proclamaient la République parthénopéenne en accord avec le général Championnet. Quelques jours auparavant, Ferdinand IV et Marie-Caroline avaient quitté la ville de Naples. Cette République fut sans lendemain puisque le représentant du gouvernement français, Faipoult, chassé par Championnet, est invité par le Directoire à reprendre ses fonctions le 25 pluviôse an VII (13 février 1799). Ce chant fut exécuté le 16 ventôse an VII (6 mars 1799) devant le palais du Directoire en présence des Directeurs après la remise des drapeaux napolitains pris par les Français. L'arbre de la Liberté, héritier direct du Mai de joie, moyen d'assurer le reboisement national à partir de 1793, devient porteur de toute une symbolique exprimée dans ce chant. Planté en l'honneur d'un événement, l'arbre vivant est associé dans sa croissance à celle de la collectivité ; il est refuge et témoin de l'Unité retrouvée, de la Fraternité, de la Concorde. Décoré de rubans tricolores, porte-écriteaux, il devient un rite de clôture et de naissance, le passage d'un monde ancien à un monde nouveau.

SOURCE : *Le Rédacteur* (17 ventôse an VII, 7 mars 1799) (Pierre 148).

Allegretto non troppo

Unissez vos cœurs et vos bras,
Enfants, citoyens, magistrats,
Plantons l'arbre sacré, l'honneur de ce rivage.
Que ton emblème, ô Liberté,
Soit le signal de la gaieté.
La tristesse en ce jour n'est que pour l'esclavage,
Les jeux, les chants sont un hommage
Pour les succès   } *(bis)*
Des Français.

Ornés des civiques couleurs
Bel arbre, tes rameaux vainqueurs
Triompheront toujours des rois et de l'orage.
Sur ton écorce on lit nos droits,
Ta cime au loin défend nos toits,
Tes fleurs sont de la paix, l'ornement et le gage.
La victoire suit ton ombrage
Grâce aux succès   } *(bis)*
Des Français.

Transplantés dans tous les pays,
Puissent tes rejetons chéris
Changer le monde entier en un riant bocage.
En sagesse, en bonheur rivaux
Que les peuples, sur tes berceaux,

Des haines, des combats désapprennent l'usage.
Qu'ils chantent en divers langages ⎫
Gloire aux succès   ⎬ *(bis)*
Des Français.   ⎭

De cet arbre n'approchez pas,
Vous parjures, vous ingrats,
Votre souffle odieux ternirait son feuillage.
Allez cacher dans les déserts
Vos cœurs et vos complots pervers.
Fuyez, c'est pour vous seuls qu'est mortel cet ombrage.
Fuyez votre impuissante rage ⎫
Tremblez aux succès   ⎬ *(bis)*
Des Français.   ⎭

Par l'amour à ses pieds conduits,
C'est vous qui cueillerez ses fruits,
Enfants, sa tige heureuse est votre heureuse image.
Croissez comme elle, entre les fleurs,
Ne l'arrosez jamais de pleurs,
Mais ornez par les arts votre bel héritage.
Que votre jeune ardeur présage ⎫
D'autres succès   ⎬ *(bis)*
Aux Français.   ⎭

A son doux aspect renaissez,
Vous que la vieillesse a glacés.
Son enceinte est l'asile et le temple du Sage
De ses festons[1] voyez vos fils
Ceindre en riant vos fronts blanchis.
Des mœurs, à vos genoux, ils font l'apprentissage.
Applaudissez à votre ouvrage, ⎫
Fiers des succès   ⎬ *(bis)*
Des Français.   ⎭

Lorsque la paix dans leurs foyers
Rappellera tous nos guerriers,
Ils suspendront aussi leur glaive à ce branchage.
Dans les fêtes et le repos,
Ils seront encore des héros,

Les jeux délasseront leur gloire et leur courage
Ils y verront ce que notre âge
Paie aux succès } *(bis)*
Des Français.

C'est surtout avec la beauté
Que tu plais, ô Fraternité.
Belles, vous viendrez donc égayer cet ombrage.
Son charme heureux rend plus constants
Et les époux et les amants
Sa fraîcheur de vos traits conserve l'avantage
Belles, toujours votre suffrage
Fit les succès } *(bis)*
Des Français.

---

1. Mélange de fleurs, de feuilles et de petites branches liées en cordon.

LE 18 BRUMAIRE, À LA GLOIRE
DE BONAPARTE PREMIER CONSUL

Paroles de J.L.M. d'Yrvande et d'Herville fils
Sur l'air du Réveil du peuple

A l'entrée de l'hiver 1799, la France est menacée de toutes parts : périls extérieurs mais aussi intérieurs, car la stabilité gouvernementale que le Directoire a rétablie à grand-peine après fructidor peut être remise en cause par les élections prévues au printemps de l'an VIII. Le coup d'État des 18-19 brumaire (9-10 novembre 1799) a été préparé de longue date par Bonaparte. Lorsque le 10 novembre, à 21 heures, cinquante députés des Cinq-Cents, présidés par Lucien Bonaparte, votent leur reconnaissance à Napoléon Bonaparte, le Directoire a cessé de vivre. Le Consulat provisoire est organisé le soir même, ouvrant une ère de profondes réformes.

SOURCE : *Recueil de chansons* (anonyme, Paris, B.N.) (Pierre 2087). Musique : Capelle 941, voir p. 167.

Chaque mois a son avantage,
L'on jouit dans chaque saison.
Le printemps est pour le jeune âge,
Et l'automne pour la Raison.
Le mois qui doit toujours nous
                              [plaire
Est celui de notre Bonheur,
Tout Français, le 18 brumaire,
Doit fêter son libérateur.

L'orage grondait sur la France,
Nous gémissions dans la Frayeur,
Nous avions perdu l'Espérance,
Tout nous présentait le Malheur.

Mais le soleil, pendant Brumaire
A, dix-sept fois, fini son cours.
La dix-huitième, il nous éclaire
Pour nous annoncer nos beaux
                              [jours.

Bonaparte sur sa patrie,
Veillait en ami généreux,
Il frappe la horde ennemie
D'un bras terrible et courageux.
La France le nomme son Père,
Protecteur de l'Humanité
Et voit dans le 18 brumaire
Commencer sa Félicité.

Bibliographie

Instruments généraux

PIERRE, Constant, *Les Hymnes et chansons de la Révolution.
Aperçu général et catalogue avec notices historiques,
analytiques et bibliographie*, Paris, Imprimerie Nationale, 1904, in-4°, 1040 p. Outre un inventaire chronologique des hymnes et chansons, ce monument procure
une bibliographie complète des recueils et imprimés,
une préface considérable et tous les *index* souhaitables.

CAPELLE, Pierre, *La Clef du caveau à l'usage des chansonniers français et étrangers*, 4e édition, Paris, A. Cotelle,
s.d., in-8° oblong, XVI-272-594 p. Collection presque
exhaustive des airs utilisés comme timbres par la chanson révolutionnaire.

Recueils divers et anthologies

DUMERSAN, Théophile, *Chansons nationales et républicaines
de 1789 à 1848*, Paris, Garnier, 1848, in-32°, 470 p. Les
éditions suivantes, publiées sous le second Empire,
éliminent les chants de la Révolution.

LHOMME, Charles, *Les Chants nationaux de la France*, Paris,
Librairie centrale des publications populaires, 1883,
in-8°, 316 p.

BARBIER, Pierre et VERNILLAT, France (éd.), *Histoire de
France par les chansons. 4. La Révolution*, Paris, Galli-
mard, 1957, in-8°, 284 p. Avec musique.

Études récentes

BRÉCY, Robert, « La chanson révolutionnaire de 1789 à
1799 », *Annales historiques de la Révolution française*,
avril-juin 1981, pp. 279-303.

213

GUMBRECHT, Hans Ulrich, « Chants révolutionnaires, maî-
  trise de l'avenir et niveau de sens collectif », *Revue
  d'Histoire moderne et contemporaine*, avril-juin 1983,
  pp. 235-256.
BIZET, Michelle, « La Révolution française et ses musiques :
  le fonctionnel et le gratuit », *La Pensée*, n° 253, septembre-
  octobre 1986, pp. 83-98.

Table

CHANTS DE LA RÉVOLUTION FRANÇAISE

1787

1789

1790

1793

Table des incipit

Dans Le Livre de Poche

La Révolution française :

Les Grandes Journées   4281

Portraits de la Révolution française   4284

Jules Michelet

Dans la respiration globale de l'*Histoire de la Révolution française*, de Michelet, Paule Petitier fait vivre les Grandes Journées qui s'échelonnent entre l'ouverture des États Généraux et le 9-Thermidor : la nuit du 4-Août où un monde s'abolit, la fête de la Fédération, où la France prend conscience de son unité, le 9-Thermidor, la célébration de l'Être suprême...

Les faits sont replacés dans un cadre minutieux, expliqués, commentés : un livre qui recrée l'événement.

Le second volume réunit les portraits des personnages les plus connus : Danton, Desmoulins, Dumouriez, La Fayette, Marat, Mirabeau, Robespierre, Mme Roland, de Sade, Saint-Just, Sieyès, Louis XVI, Marie-Antoinette, Charlotte Corday, Mme de Staël...

Les Nuits révolutionnaires   5020

Restif de La Bretonne

Une relation au quotidien des événements révolutionnaires. Écrivain mêlé au peuple, Restif consigne, en une vertigineuse chronique qui constitue un document exceptionnel, les rumeurs sur la prise de la Bastille, l'évocation des morts entassés au Châtelet, le pillage des épiciers, l'anecdote de l'intendant Bertier pendu à un réverbère... Observations et réflexions sont appliquées au fourmillement des faits et emportées dans le basculement d'un monde.

Composition réalisée par C.M.L., Montrouge.

IMPRIMÉ EN FRANCE PAR BRODARD ET TAUPIN
Usine de La Flèche (Sarthe).
LIBRAIRIE GÉNÉRALE FRANÇAISE - 6, rue Pierre-Sarrazin - 75006 Paris.

ISBN : 2 - 253 - 04930 - 1 ◈ 30/6610/7